6
저자 / 마츠우라
일러스트 / keepout
아빠는 영웅,
엄마는 정령,
딸인 나는
전생자.

엘렌
주인공. 원소의 정령. 겉모습은 어린아이, 속은 어른(이라고 믿음!).

오리진
엘렌의 어머니. 정령의 여왕. 순수하고 발랄하며 훌륭한 몸매를 가진 절세 미인.

로벨
엘렌의 아버지. 전 영웅. 아내 오리진과 딸 엘렌을 무척 사랑한다.

반
바람의 정령. 빈트의 아들. 카이와 계약했다.

아우스톨
전투를 좋아하는 정령이자, 영아의 총장. 반의 모친.

사우벨 반크라이프트
로벨의 동생. 공작가 반크라이프트가의 당주. 기사단 단장.

라필리아 반크라이프트
사우벨과 아리아 사이에서 태어난 외동딸. 견습 기사.

카이
알베르트의 아들. 엘렌의 호위로 임명된다.

아크
오리진의 첫 아이. 마소의 순환을 관장하는 대정령.

리히토
빛의 대정령. 보살피는 것을 좋아하며, 엘렌은 '오라버니'라고 부른다.

쌍둥이 여신
오리진의 쌍둥이 언니. 모든 것을 내다보는 여신 보르와 단죄의 여신 바르.

레벤
생명을 관장하는 대정령. 빨간 머리의 아름다운 여성 모습을 하고 있다.

클리렌
치료를 관장하는 대정령. 은색 머리의 소년 같은 모습을 하고 있다.

애슈트
지혜의 정령. 겉모습은 복슬복슬 하고 작은 흰 토끼.

가디엘 랄 텐바르
텐바르 왕국 왕태자. 성실하고 언행이 부드럽다.

훔
치료사. 정령 애슈트와 계약했다.

인물 소개
character

프롤로그

세계를 구성하는 힘의 근원을 「마소」라고 한다.

마소는 언제나 움직여야만 한다. 그 움직임이 바로 이 세계의 에너지가 되어 세계를 지탱하고 있었다.

인간으로 친다면 마소는 혈액에 해당하며, 순환의 멈춤은 죽음을 의미한다.

흐름이 막혀 한 곳에 고이게 되면 그곳에 존재하는 모든 것에 영향을 주고 서서히 뒤틀림이 생겨난다.

그것들이 모여 부풀어 오르면, 사소한 자극에도 풍선이 터지는 것과 같은 현상이 발생한다.

동물들이 마소의 영향으로 변질되어 흉포해지고, 갑작스러운 태풍처럼 주변을 덮쳐드는 것이다. 그것이 바로 몬스터 템페스트의 정체였다.

마소의 순환을 관장하는 아크는 시초의 여왕 오리진이 이 세계에서 처음으로 만들어낸 대정령이었다.

아크의 생김새와 백금색 머리카락은 오리진과 똑 닮았다. 두 사람은 부모 자식이라기보단 나이 차이가 그리 나지 않는 남매처럼 보였다.

부드러운 곡선을 그리는 오리진의 머리카락과는 대조적으로, 아크는 긴 생머리였다. 엘렌이 발견했을 때는 머리카락이 바닥에 닿을 정도로 긴 상태였다. 그것은 바로 얼마 전까지 위험한 상황에 처해있던 탓이었다.

아크는 텐바르 왕국의 귀족에 의해 3백 년이나 되는 시간 동안 구속되어 힘을 빼앗겨왔다.

정령성에서 한동안 요양하고 몸 상태가 회복되었을 무렵에야 키보다도 길었던 머리카락을 등허리 정도의 길이로 자르고, 오리진과 똑같은 빨간 장미 한 송이를 꽂았다. 머리카락에는 어째선지 곳곳에 이파리가 붙어 있어서 어느 들판에서 뒹굴기라도 한 것 같은 인상을 주었다.

이 한 송이의 장미는 꺾어도 꺾어도 어느새가 뿅 하고 머리카락에서 자라나는 신기한 구조로 되어 있었다.

아크는 이 세계를 구성하는 마소의 순환을 관장한다. 힘을 계속 사용해야만 하는 정령이건만, 힘을 빼앗겨 온 바람에 만족스럽게 일을 행할 수 없었다.

그 탓에 세상의 마소 순환이 정체되었고, 혈전 같은 것이 곳곳에서 발생했다.

아크가 구속되어 있던 텐바르 왕국에서는 아크의 빼앗긴 힘이 새어 나와 주변에 뒤틀림이 계속해서 생겨났다. 그것이 2백 년 전과 십수 년 전에 발생한 몬스터 템페스트의 정체였다.

3백 년의 시간이 흘러, 엘렌의 도움으로 구조된 아크는 쇠약해져 있었다.

아크는 본래의 힘을 되찾기 위해 다른 정령들의 힘을 빌려 정령계에서 한동안 요양했는데, 세계의 마소 상태는 예단을 허락하지 않는 상태까지 도달해 있었다.

어느 정도 힘을 되찾은 아크는 세계의 마소를 순환시키기 위해 정령계를 거점으로 삼아 온 세상을 돌아다녔다.

*

아크는 원래부터 느긋한 성격이었는데, 거기에 3백 년이나 구속되어 있던 후유증이 더해졌는지, 혹은 이야기하는 방법을 잊어버렸는지, 때때로 떠듬떠듬 말하게 되고 말았다.

최근 들어서야 조금씩 나아지고는 있지만, 그 모습은 주변 이들의 눈에 안타깝게 비쳤고 정령들은 아크를 과보호했다.

그런 중에 로벨만은 아크를 눈엣가시처럼 여겼다. 그 이유는 구출 당시에 갑자기 아크가 엘렌에게 청혼을 했던 탓이었다.

"아크 오라버니는, 제 오라버니예요."

"오라버니? 나는, 오라버니."

"맞아요! 그러니까 결혼은 아웃이에요."

"아, 웃?"

아크는 난처한 표정을 지으며 고개를 갸우뚱 기울였다. 어째서 안 되는 거야? 하고 말하는 듯한 표정이었다.

아크와 이런 대화를 나누는 것도 대체 몇 번째인지. 틈만 생기면 아크는 「엘렌, 엘렌」 하고 그녀를 부르고, 이어서 「결혼, 하자」라는 말을 꺼내고 말았다.

오늘도 얼굴을 마주하자마자 또다시 그 말을 들었던 것이다.

"안, 해, 요."

"우으…… 안 돼?"

"안, 돼, 요."

엘렌에게 거절당한 직후의 아크는 마치 낑낑하고 슬프게 우는 대형견처럼 보인다. 엘렌은 언제나 안쓰러운 마음을 꾹 참느라 힘들었다.

엘렌의 답은 언제나 「아웃!」이었다. 그것도 상당히 단호하게 거절했다.

그 이유는 태어난 방식은 다르다 해도, 계열로 따지면 아크는 엘렌의 오빠가 되기 때문이었다. 힘의 강함을 생각하면 상당히 가까운 남매였다.

연애니 어쩌니 하기 이전에, 전생 전 인간일 때의 기억을 가진 엘렌으로서는 남매의 결혼을 금기로 여겼다. 그런고로 생각할 것도 없이 아크의 청혼을 거절했다.

"엘렌은 시집 못 보내—!"

아크와 엘렌의 대화를 목격한 순간, 분노한 로벨이 달려온다.

이것도 일상이 되어버린 풍경. 아크가 엘렌에게 청혼한 이후로 로벨은 언제나 아크를 경계했다.

“내가 잠시 눈을 뗀 틈을 노려서 엘렌에게 접근하지 마.”

엘렌을 자신의 등 뒤로 숨기면서 으르렁거리는 소리가 들려올 정도로 아크를 위협하는 로벨.

로벨에게 발각된 아크는 떨떠름한 표정을 지었다. 언제나 엘렌과 이야기를 나누려고 하면 로벨이 떼어놓는지라, 그가 싫어진 모양이었다.

로벨의 등 뒤에서 오리진이 불쑥 고개를 내밀었다. 모두와 시선이 마주치자 오리진은 웃으며 팔랑팔랑 한 손을 흔들었다.

로벨과 아크의 대화를 보며 엘렌이 한숨을 한 번 내쉬고, 오리진에 이르러서는「어머 어머」하며 즐겁게 지켜보는 것이 최근의 풍경.

그러나 오늘은 전개가 조금 달랐다.

“그러고 보니, 정령에게 남매는 안 된다든가 하는 규칙은 딱히 없는데? 오히려 어째서 안 되는 걸까?”

그녀는 상황을 빈틈없이 전부 지켜본 모양이었다. 오리진이 소박한 의문인 것처럼 질문하자, 엘렌과 로벨이 동시에 외쳤다.

“뭐라고?!”

“네에―?! 오히려 없는 건가요?.”

로벨과 엘렌의 얼굴이 경악으로 일그러졌다. 두 사람의 반응을 보고서도 오리진은 전혀 당황하지 않았다.

“응, 없어. 인간한테는 있는 거야?”

인간도 오리진이 만들어낸 존재였다. 그렇기에 어째서 인간에게만 그런 식의 이야기가 있는지 의문으로 여겨진 것이리라.

"근친 교배는 열성 유전자가 발현하기 쉽다…… 아니, 이걸 어떻게 설명하면……."

인간의 윤리관을 설명한들 정령이 납득할 수 있을까? 하고 엘렌은 몹시 곤란해하며 신음했다.

콩이 어쩌니저쩌니하고 중얼거리며 설명하려는 엘렌의 옆에 선 로벨이 한숨을 섞어가며 말했다.

"안 되는 건 안 되는 거야."

"그러니까 어째서?"

고개를 갸우뚱 기울이는 오리진의 옆에서 아크도 똑같이 갸우뚱 고개를 기울였다.

20대 정도로 보이는 젊은 두 사람의 모습은 똑 닮아서 부모와 자식이라기보다는 남매로 보였다.

"이전엔 인간도 적극적으로 했었지만, 언제나 문제가 생겼어. 아이가 태어나기 힘들었고, 태어나도 약해서 단명했다는 기록이 남아 있지. 그런 이유로 사촌 이상일 경우에만 결혼할 수 있다고 정해진 거야. 엘렌은 정령이지만, 내 아이이니 인간이기도 하잖아."

"어머나, 인간은 그런 거야?"

엘렌은 여기에서 오리진이 「어떤 사실」을 이야기해버리지는 않을지 조금 조마조마했다.

실은 로벨만이 모르는 사실이, 정령과 인간의 결혼— 그 뒤편에 감춰져 있기 때문이었다.

로벨은 원래 인간이고, 오리진의 힘으로 죽음의 밑바닥에서 반정

령화하여 살아남은 과거가 있었다.

반정령화하였기에 정령계에 머물 수 있다고 로벨은 여겼다. 그러나 실제로는 인간의 몸을 베이스로 하여 정령의 소체로 바꾼 뒤, 거기에 로벨의 혼을 넣은 특수한 정령이 지금의 로벨이었다.

그 탓에 로벨은 반정령이라기보다, 영혼만 인간이고 다른 부분이 거의 정령인 상태다.

그러한 숨겨진 사실이 있었기에 오리진과의 사이에서 엘렌이라는 존재가 태어난 것이지만, 로벨은 그 사실을 몰랐다.

오리진은 로벨을 잃는 것을 두려워했고, 로벨의 허락 없이 그런 일을 벌였다. 지금까지도 오리진이 진실을 전하지 않은 것을 보면, 전할 수 없는 이유가 있는 것일지도 모른다고 생각해 엘렌도 입을 다물었다.

엘렌 자신도 전생하기 전 인간이었던 때의 기억이 있다. 즉, 로벨과 마찬가지로 영혼만이 인간이라는 뜻이다.

이전에 오리진은 엘렌에게 말했다. 정령과 인간 사이에서는 아이가 생기지 않는다고.

이 사실이 알려지면, 엘렌이 로벨과 같다는 것을 아크나 다른 정령들에게 들키고 만다.

그렇게 되면 로벨과 오리진 사이에서 엘렌이 태어난 전례가 있듯, 엘렌과 아크의 결혼 역시 가능하다고 알려지게 된다.

전생 전의 윤리관이 있기에, 엘렌으로서는 남매가 결혼한다는 것은 생각할 수도 없는 일이었다. 그러한 사태를 피하기 위해서 엘렌은 사실을 감춘 채, 로벨 옆에 서서 단호하게 거절한다는 자세를 취했다.

"맞아요. 무슨 일이 일어날지 알 수 없으니까, 아무튼 아웃이에요."

"그렇다네. 아쉬운걸."

오리진이 키득키득 웃으며 아크에게 그렇게 말하자, 아크는 어깨를 축 늘어뜨렸다.

"하지만, 포기, 안 해."

바로 고개를 들고 그렇게 선언한 아크를 향해 로벨과 엘렌이 「헉?!」 하고 경악으로 일그러진 표정을 지어 보였다.

그 둘의 표정이 너무나도 똑같아서 「역시 아빠랑 딸이네」라며 오리진이 밝게 웃었다.

*

평소와 같은 대화 후, 로벨과 엘렌은 반크라이프트가에서 회의가 있다며 인간계로 향했다.

반크라이프트령은 신사업을 시작하기 위한 새로운 계약을 맺었기 때문에 최근 한층 더 바빴다. 두 사람의 뒷모습을 오리진과 함께 배웅한 아크는 어깨를 축 늘어뜨렸다.

그 모습을 옆에서 지켜보던 오리진은 「어디서 많이 본 모습이네」라고 말하며 웃었다.

예전, 인간화를 할 수 있게 되기 전에 홀로 남겨져 침울해하던 반과 아크의 모습이 겹쳐 보였던 것이다. 아크도 엘렌과 함께하고 싶은 것이리라.

"엘렌도 외출했는데, 너도 마소를 순환시키러 갈 거니?"

"갈, 래."

아크에게는 아크의 역할이 있다. 아크는 엘렌에게 관심을 받고 싶기는 했지만, 자신의 사명도 확실하게 알고 있었다.

3백 년간 부재였던 만큼 마소의 뒤틀림은 전 세계에서 발생하고 있었다. 그중에는 몬스터 템페스트 발생 코앞인 곳도 있었기에, 아크는 아쉬워하면서도 마음을 다잡고 그렇게 말했다.

"그래. 하지만 너무 무리하면 안 돼."

"괜, 찮아."

최근 아크는 마소 순환을 위해 직접 전 세계를 돌고 있었다.

원래대로라면 정령성에서도 조작할 수 있어야 하지만, 아직 만족스러울 만큼 힘이 돌아오지 않아서인지 심각함이 더해가는 곳에는 힘이 닿지 않았다.

현지로 향하는 데는 품이 들지만, 그 보람이 있는지 조금씩이라도 세계의 상태는 개선되어가는 중이었다.

아크의 상태도 돌아오고 있으니, 얼마 후면 정령계에 머문 채로도 세계의 마소를 관리할 수 있게 될 것이다.

"오늘도 리히토를 데리고 가렴."

"우으. 리히토, 성가셔."

"어머, 그런 말을 하다니 별일이네. 무슨 일 있었니?"

리히토는 아크와 나이 차이가 조금 나는 동생으로, 빛을 관장하는 대정령이다. 짧은 금발과 투명하고 푸른 눈동자는 맑게 갠 하늘 같은 신선한 인상을 주었다.

오빠로서 엘렌을 귀여워하고, 어린 시절 엘렌은 리히토를 「오빠」라고 부르며 잘 따랐다.

지금은 아크와 리히토 모두를 똑같이 「오라버니」라고 부르지만, 아크는 「오빠」라고 불러달라며 때때로 엘렌에게 조르곤 했다.

리히토는 아크를 「형」이라고 부르며 따랐다. 그러나 아크에게는 친형제라는 개념이 부족한지, 그 부분은 잘 이해하지 못하는 듯했다.

실제로 어머니가 되는 오리진도 「여신」이라고 불렀다. 그렇기에 아크에겐 여동생이라는 개념이 잘 이해되지 않는 모양이었다.

구출된 지 얼마 안 되었을 무렵의 아크는 리히토를 포함한 주변 정령들이 마음 써주는 것을 기뻐했지만, 마소 관리를 위해 리히토와 함께 인간계에 가기 시작한 후로는 조금 달라지고 있었다.

아직 힘이 다 돌아오지 않은 탓인지, 아크는 작업이 끝나면 지쳐서 장소에 상관없이 벌렁 드러누워 잠들어버리곤 했다.

3백 년 전에는 그것이 원인이 되어 인간에게 잡히고 말았는데, 여전히 그 버릇이 고쳐지지 않은 것이다.

그 모습을 본 리히토가 다급하게 아크를 두들겨 깨워서 데리고 돌아오곤 했는데, 휴식 겸 잠시 자게 해줬으면 싶었던 아크는 그것이 불만스러웠다.

이대로 아크를 혼자 보내는 것은 걱정이라며 리히토가 늘 동행하게 되었는데, 아무래도 아크는 인간계 초원 한가운데에서 뒹굴고 싶어 하는지라 둘은 언제나 충돌하는 모양이었다.

"리히토도 너를 걱정해서 그러는 거야."

"으음……."

아크가 떼를 쓰는 모습은 마치 어린아이 같다. 그러나 아크의 외모는 성인이 된 청년이었고, 나이로 치면 오리진 다음일 정도로 고참이니 상당히 많은 셈이다.

곤란한 아이라니까, 하고 중얼거리는 오리진의 등 뒤에서 호랑이도 제 말 하면 온다더니 때마침 리히토의 목소리가 들려왔다.

"형, 여기 있었군요. 찾았습니다."

"윽."

빛을 관장하는 리히토도 역시 오리진과 생김새가 똑 닮았다.

머리카락이 길고 언제나 졸려 보이는 아크와는 대조적으로, 짧은 머리 모양의 리히토는 밝고 생기 넘치게 대화를 나누는 타입인지라 다른 속성들에게도 사랑을 받았다.

엘렌에게도 잘 돌봐주는 좋은 오빠로 대하고 있고, 작은 정령들에게도 큰 인기였다.

그러나 남을 잘 돌보는 그 성격이 오히려 아크에게는 버거운 모양이었다.

"형, 또 나를 두고 가려고 했죠?"

"으으. 그렇지, 않아…… 아마도."

"아마도라는 건 무슨 뜻입니까?"

역시 두고 가려고 했던 것이 찔렸는지, 아크가 슬쩍 오리진의 등 뒤로 숨었다.

그러나 키가 큰 탓에 작은 체구의 오리진 어깨 위로 튀어나와서 전혀 숨겨지지 않았다.

"정말이지, 그 나이가 돼서 어머니 뒤에 숨지 마십시오. 서둘러 가죠. 오늘은 어디로 갑니까?"

"으으으~."

"어머니, 다녀오겠습니다!"

"그래~. 다녀오렴."

오리진이 손을 살랑살랑 흔들며 두 사람을 배웅했다. 리히토가 아크를 질질 끌고 전이해 사라지자, 시끌벅적했던 곳이 갑자기 적막해진 느낌이었다.

홀로 남겨진 오리진은 평소라면 곧바로 수경을 들여다보러 갔을 테지만, 오늘은 어째선지 내키지 않았다.

"……어쩐지 쓸쓸하네."

오리진 스스로도 자신의 상태가 잘 이해되지 않아 고개를 갸우뚱거렸다.

일단 평소처럼 수경의 방으로 전이했지만, 어째선지 눈앞의 수경을 들여다볼 마음은 도무지 들지 않았다.

오늘은 몸 상태가 좋지 않은 것인지, 왠지 기분이 울적하다며 오리진은 자신의 방으로 돌아갔다. 그리고 호화로운 소파의 팔걸이 부분에 기대어 나른한 한숨을 내쉬었다.

로벨과 엘렌은 오늘도 기운차게 반크라이프트가로 가서 사업을 돕고 있다.

아크도 세계의 마소 조절에 바쁘다. 다른 정령들도 이래저래 바삐 움직이고 있다.

"나만 혼자 쭉 여기에 있구나……."

별생각도 없이 입에서 나온 말.

여신은 숙명. 지금까지 그것이 당연했건만, 오늘은 어쩐지 가슴 속에 구멍이라도 뻥 뚫린 것 같은 기분이었다.

로벨과 계약했던 그때부터 여러 가지로 사건이 일어나기는 했지만, 즐거운 나날이었다.

조금 예전의 일을 비교하며 떠올리고 있으려니, 어째선지 점점 슬퍼졌다.

오리진은 그다지 깊게 생각하는 성격이 아니다. 그런데 어째서 이런 기분이 드는 것일까, 자신의 상태를 알 수 없었다.

'잠이라도 자면서 기다리면, 금방 모두가 돌아올 거야.'

그러면, 금세 즐거운 시간이 찾아온다. 오리진은 그런 마음으로 눈을 감았다.

제41화 수수께끼의 거목

아크와 리히토가 전이한 곳은 어디인지도 알 수 없는 깊은 산속의 숲 한가운데였다.

하늘에 뜬 채인 아크와 리히토는 마소에 이상이 없는지 주변을 둘러보며 확인해나갔다.

시야에 들어온 완만한 산은 돌 표면조차 보이지 않을 만큼 짙은 녹색으로 뒤덮여 있었고, 그 너머로 희미하게 바다도 보였다.

아침부터 아크를 찾으러 다니느라 시간을 쓴 탓에 해는 이미 중천에 있었다. 그다지 시간은 들일 수 없을 듯했다.

감사하게도 인간계의 날씨는 맑았다. 이곳은 기후도 온화한지, 덥지도 춥지도 않아 쾌적했다.

마소가 흐트러진 것으로는 전혀 보이지 않을 만큼 평온했다.

이건 분명 사람이 살기에도 좋은 곳일 거라며 리히토는 발아래를 바라보았지만, 산기슭에서는 사람이 세운 집 같은 것은 전혀 보이지 않았다. 그 사실에 리히토는 고개를 살짝 갸웃거렸다.

"참으로 평온한 곳입니다만…… 정말로 마소가 뒤틀려 있는 겁니까?"

리히토의 말에 아크가 고개를 끄덕였다.

"흐음……. 확실히 자세히 살펴보면 숲의 생장이 두드러지는군요."

마소는 언제나 순환할 필요가 있으며, 성가시게도 일정한 농도를 유지해야만 한다.

농도가 낮으면 대지에 빈혈 같은 증상이 일어난다. 물이 마르고 지표가 건조해져서 식물이 자라지 않는 곳으로 변해가고, 동물도 사람도 살 수 없게 된다.

반대로 너무 많으면 영양 과다가 되어 발아래에 펼쳐진 풍경처럼 울창한 숲이 만들어진다. 거기서 농도가 더욱 높아질 경우, 동물들은 몸에 변질이 일어나 뒤틀리고 사고 능력까지도 저하되어 흉포해진다.

그렇게 날뛰게 된 동물들에 의한 재앙을 몬스터 템페스트라고 부른다.

풍요의 의미도 지닌 오리진이 인간계에 장시간 강림하면 주변에 영향을 줘 숲으로 변해버리는데, 이 역시 오리진이 두르고 있는 고농도의 마소가 원인이었다.

하지만 나무들의 생장이 현저하다고는 하나, 이곳은 아크가 직접 내려올 필요가 있을 만큼 마소가 많다고는 여겨지지 않았다.

리히토의 의문이 아크에게 전해졌는지는 알 수 없지만, 아크가 조용히 중얼거렸다.

"이상, 해."

조금 전부터 아크가 의아하다는 표정을 지으며 고개를 갸웃거렸다.

"형, 뭐가 이상하다는 겁니까?"

"풀 수, 없어."

"풀 수 없다고요?"

"이렇게. 얽혀, 있어? 풀리지, 않아."

손짓 발짓을 해가며 설명하려 하지만, 아크는 양손으로 빙글빙글 무언가를 휘감는 것 같은 동작을 할 뿐 요령을 잡지 못했다.

리히토는 미간에 주름을 잡으면서 머리 위로 물음표를 띄웠다.

아크의 힘이 부족하다는 말을 하려는 것일까? 그러나 최근 들어서 대부분의 마소 정체 현상은, 아크가 가까이 다가가는 것으로 뒤틀린 마소를 해방시키고 순환시킬 수 있었다.

아크의 힘은 거의 되돌아왔다. 아직 완벽하게 원래대로 돌아오지는 않았다고 해도, 아크는 웬만한 대정령보다 훨씬 강했다. 그런데 힘이 미치지 않는다는 것은 어찌 된 일일까.

리히토가 다시 묻자, 아크는 자신이 가까이 다가가도 마소를 순환시킬 수 없다고 답했다. 믿기 어려운 사태에 리히토도 곤혹스러움을 감추지 못했다.

"누군가가 마소에 간섭해서 방해를 하고 있는 걸까요?"

실제로 아크가 학원에 갇혀서 힘을 빼앗긴 동안엔 인간이 만든 마법진의 영향으로 마소가 변질되고, 아크에게 힘이 돌아오지 못했다고 들었다.

그렇다고 한다면, 이곳에도 그러한 무언가가 있을 가능성이 높으리라.

"마소가 그저 뒤틀려 있을 뿐이라면, 형의 힘으로 간단히 해결할 수 있을 테지요. 그것조차도 무리라고 한다면, 뭔가 다른 원인이 있다고 여기는 편이 좋을 것 같습니다. 조금 더 다가가서 확인해볼까요?"

"그렇게, 하자."

아크가 고개를 끄덕였다. 이쪽이라며 아크가 이끄는 방향으로 리히토도 따라 이동했다.

*

아크가 이끄는 대로 따라가 내려선 곳에는 아주 커다란 거목이 있었다.

이 나무만이 주변에 비해 유달리 컸다. 그 형태는 뒤틀려 있고, 나무뿌리가 땅 위로 드러나 있었다. 그리고 주변 나무에까지 얽힌 모습은 조금 전 아크가 무언가를 감아올리듯이 팔을 빙글빙글 돌리던 것과 똑 닮아 있었다.

"이런 나무는 처음 봤습니다……."

나무 아래에 내려선 리히토가 놀란 얼굴로 올려다보았다. 가까이에서 보니 나무의 크기가 더더욱 시선을 끌었다. 눈으로 대강 가늠해 보아도 지름 십수 미터는 될 듯했다.

마소의 농도가 짙은 정령계에서는 거목을 자주 보았지만, 인간계에서 이 정도의 거목은 본 적이 없었다.

더 자세히 살펴보니, 주변 나무들이 덩굴처럼 뒤엉켜서 하나의 커다란 거목처럼 보이는 것을 알아냈다. 뒤틀리고 뒤엉켜 만들어진 나무 덩어리. 이것도 마소의 영향일까?

"우음……."
옆에 선 아크는 눈앞의 나무를 심각한 표정으로 살피더니 다시 고개를 갸웃거렸다.
아크는 나무 주변을 날아서 빙글빙글 돌았다. 때때로 가지에 한 손을 대고서 무언가를 확인했다.
"형님, 어떻습니까?"
"원래대로, 돌아가."
"돌아간다고요?"
리히토가 되묻자 아크는 이번에도 손짓을 해가며 설명했다.
"이렇게. 빙글빙글한 거, 풀어."
"그러니까, 순환 전에 뒤엉킨 마소를 해방시키려고 한 거로군요."
"하지만, 금방 돌아가버려."
"네?"
아크의 힘을 받고서도 여전히 원래대로 돌아가다니, 대체 어찌 된 일일까?
"마소가 어떤 간섭을 받고서 돌아간다는 겁니까?"
"으음~?"
한 손을 턱에 대고서 아크는 고개를 갸우뚱할 뿐이었다.
리히토는 다시 한 번 거목을 바라보았다. 잠시 뒤틀린 나무를 보다 보니, 무언가를 지키기 위해 나무들이 서로 휘감고 있는 것은 아닐까? 하는 생각에 이르렀다.
그 사실을 아크에게 전해보았지만, 아크는 의미를 이해하지 못했는지 어리둥절해했다.

"이 중심에 무언가가 있고, 누군가가 주변의 나무들을 조종해 지키고 있을 가능성은 없을까요? 이 정도의 거목을 만들어내려면, 그에 상응하는 힘이 필요할 테죠."

"그럴지도, 몰라."

리히토의 말을 듣고서 아크는 이해가 가는 부분이 있었던 모양이었다. 한순간 놀란 표정을 짓고, 다음 순간에는 속이 시원하다는 듯이 웃어 보였다.

"확실히, 휘감고, 있어."

"그게 형의 힘으로도 풀리지 않는다……. 그렇다면 주변 나무들을 영화로 불태워 볼까요?"

리히토는 빛을 다룰 수 있기 때문에, 빛의 근원이 되는 열을 막대처럼 한 점에 집중시켜서 검처럼 만들어낼 수 있었다.

예전에 그걸 본 엘렌이 「영화에서 나오는 거……」라고 말하며 놀란 적이 있었다.

리히토는 「영화?」라고 물으며 엘렌에게 설명해달라고 했지만, 그녀는 은근슬쩍 얼버무리고 넘어가 버렸다.

그러나 리히토는 엘렌이 중얼거린 영화라는 소리가 마음에 들었고, 엘렌의 허락도 없이 이 마법의 이름을 「영화」라고 지어버렸다.

"영화?"

아크의 의문에 답하듯이 리히토는 손에 영화를 만들어냈고, 나무를 향해 들고 자세를 잡아 보였다.

"엘렌이 이름 붙여준 겁니다. 이걸로 나무를 모조리 태워버리면 어떨까요?"

엘렌은 이름을 붙여주려던 것이 아니었지만, 리히토의 자랑하는 듯한 태도에 아크가 울컥한 표정을 했다.

"엘렌, 이름 붙여준 거, 치사해."

"그 부분은 아무 데서나 자다가 인간에게 잡힌 형이 잘못한 겁니다. 엘렌이 태어났을 때는 새 여신의 탄생이라며 온 정령계가 축하를 했는데, 그 자리에 없어서 유감이었습니다."

"우웃!"

리히토의 도발적인 말에 낚여 아크가 화를 냈다.

그렇게 수다를 떨던 중에, 리히토의 손에 들려 있던 영화가 술자의 의지와는 관계없이 움직이기 시작했다.

"어……?"

갑자기 부웅 하고 영화에서 발해진 빛이 튕겨 나갔다. 검은 상당히 작게 만든 상태였는데, 주변 마소의 영향을 받아서 다섯 배 가까이 부풀어 올랐다.

"으아아앗!"

뜨거운 빛의 열기에 의해 불이 발생했고, 덩굴의 잎에 옮겨붙어 순식간에 불길이 번지고 말았다.

이곳은 깊은 숲속이지만, 마소의 농도가 통상보다 짙기 때문에 불의 기세와 퍼지는 속도가 빨랐다. 이대로는 주변 일대에 큰 산불이 나고 말 터였다.

"이런!"

적당히 조절할 셈이었는데, 주변의 평온함에 방심했었다.

허둥대는 리히토를 놀란 표정으로 바라보던 아크는 오른손을 슥 움직였다.

불의 연료가 되었던 마소의 농도를 순환시키고 움직여서, 너무나도 간단하게 연소를 막아 불을 꺼 보였다.

엘렌의 말에 따르면, 불이 붙는 데는 세 가지 요소가 필요하다고 한다. 연료, 공기(산소), 열.

이 중 하나를 제거하면 불이 꺼진다고 알고는 있었지만, 막상 그 상황이 되니 당황해서 완전히 잊고 말았다.

아크는 연료가 되는 마소의 순환을 관장하고 있기에, 자연스럽게 이해하고 행동한 듯했다.

타닥타닥하고 불이 진화되는 모습을 본 리히토는 온몸의 힘이 빠진 것처럼 지치고 무거운 한숨을 내쉬었다.

"형, 고맙습니다. 어머니께 혼날 뻔했어요……."

세계를 관리하는 오리진은 무의미하게 자연이 파괴되는 일을 싫어했다. 정령들이 자주 날뛰어 주변이 폐허로 변할 때마다 「이러면 안 되잖아~!」 하고 투덜거리며 화내는 것이다.

하지만 그런 오리진이야말로, 로벨과 부부싸움을 시작하면 주변을 폐허로 만들곤 한다. 그러고는 형편 좋게 잊어버리는지라 화를 내본들 설득력이 전혀 없지만.

리히토가 힐끗 아크 쪽을 보니, 그에게 감사 인사를 받은 게 기뺐는지 의기양양한 얼굴을 하고 있었다.

"아직, 멀었구나."

조금 전까지 화를 냈던 것은 이미 잊어버린 듯, 아크는 흐흥 하고 도전적인 대사를 날렸다. 금방 잊어버리고 마는 부분도 정말이지 오리진과 똑 닮았다며 리히토는 쓴웃음을 지었다.

그 후, 아크가 주변의 마소를 조절하고 리히토가 나무를 베어 쓰러뜨려 나갔다. 나무 중심은 돔 형태의 공동(空洞)으로 되어 있다는 것을 확인했다.

"뭔가 있어……?"

공동 중심에 가느다란 덩굴과 이끼가 달라붙은 세로로 긴 무언가가 있었다. 대부분이 녹색으로 뒤덮여 있어서 무엇인지는 알 수 없었다.

아크와 리히토는 서로의 얼굴을 마주 보았다. 둘 모두 짚이는 바가 없는 탓인지 말을 꺼내는 일은 없었다.

거기에 빛이 거의 들어오지 않아 안쪽이 잘 보이지 않았다. 조금 더 가까이에서 보기 위해 갈라진 나무 틈새로 얼굴을 가까이 가져갔다.

빛이 필요하겠다며 리히토는 한 손에 빛을 만들어내고 나무 내부를 비추었다.

생각했던 것보다 내부는 넓었다. 어른 십수 명 정도는 여유롭게 들어갈 수 있는 넓이였다.

"이건 돌……일까요?"

내부의 중앙에 자리 잡고 있는 무언가. 이끼와 덩굴이 달라붙어 평범한 덩어리로 보였지만, 인공적으로 예쁘게 다듬어진 것처럼도 보였다.

형태는 균등했고, 아마도 직사각형의 돌 같은 것이리라. 성인 남성의 평균 키보다 두 배 정도는 될 듯했다. 마치 기념 건축물 같았다.

인간이 만든 것처럼 보였다. 인간은 언제나 문자를 남기고 싶어 하는 법이니, 무언가 쓰여 있지 않을까? 그렇게 생각한 리히토는 가까이에 있는 덩굴을 잡아당겨 끊어냈다. 하지만 이끼가 잔뜩 끼어 있고, 덩굴이 너무하다 싶을 만큼 감겨 있어서 잘 알 수 없었다.

"이것도 불태워 볼까요?"

리히토의 제안에 아크가 고개를 끄덕였다. 리히토가 다시 한번 영화를 만들어내려 한 순간, 갑자기 주변 나무들이 삐걱삐걱하는 소리를 냈다.

"뭐지……?"

아크와 리히토는 허둥지둥 훌쩍 뛰어서 나무와 거리를 두었다. 조금씩 뒷걸음질 쳐서 거목과 거리를 벌리자 삐걱대는 소리는 점점 커졌고, 지면까지 흔들리기 시작했다.

두 사람은 서둘러 공동에서 뛰쳐나와 하늘로 도망쳤다. 순간 지진인가 싶었지만, 실제로는 주변 나무들이 조금 전 갈라진 나무를 향해서 억지로 끌어당겨지고 있었다. 두 사람은 놀라며 상황을 지켜보았다.

주변 나무를 애용해 갈라진 부분을 수복하듯이 나무가 뒤틀려 뒤덮어갔다.

두께가 더욱 굵어진 거목을 보면서 리히토가 중얼거렸다.

"……주변 나무를 써서 수복하려고 하는 건가?"

그 광경은 마치 누군가가 나무 안의 돌을 감추려 하는 것만 같았다.

깨닫고 보니 겉모습은 원래대로 돌아갔고, 더욱 커진 거목이 완성되어 있었다.

뒤틀린 마소가 의지를 가지거나 하는 일은 없다. 이런 현상은 처음 목격한 탓인지 아크도 리히토도 너무 놀라 잠시 아무 말도 하지 못했다.

"이건 원인을 제거하지 않으면 몇 번이고 수복할 것 같군요."

"으으음……."

미간에 주름을 잡은 아크가 주변의 마소를 제거해보려 했지만, 아무런 일도 일어나지 않았다.

리히토가 「어떻습니까?」 하고 묻자, 아크는 자신의 손을 바라보며 조용히 말했다.

"튕겨냈, 어."

"네?!"

"힘, 안 통해."

큰일이야 하고 이어진 말에 리히토는 눈을 동그랗게 뜨며 놀랐다.

"……그건 정말 큰일이네요."

리히토도 동의할 수밖에 없었다. 둘은 뒤틀린 나무를 바라보았다.

이윽고 나무들 틈새로 들어오는 빛이 점점 줄어드는 것을 눈치챈 리히토는 일단 돌아가자며 아크를 재촉했다.

해가 지기 전에 돌아가지 않으면 걱정한 정령들이 수경을 통해서 이쪽으로 몰려올 가능성이 있었다.

"형의 힘이 통하지 않다니, 보통 일은 아니군요. 어머니에게 상담해보죠."

리히토의 제안에 아크도 고개를 끄덕였다. 그리고 둘은 전이해서 정령계로 돌아갔다.

*

그 후. 해가 지고 어두컴컴해진 숲속은 빛이 사라지고, 평온했던 광경은 어둠 속으로 사라졌다.

이곳의 이상한 점은 어두워진 후에 현저하게 드러났다. 녹색으로 뒤덮인 곳임에도 불구하고 벌레와 동물 소리가 들리지 않았고, 기척조차 전혀 없었다.

깊숙한 숲, 달빛도 닿지 않는 어둠 속에서 뒤틀린 거목이 가만히 서 있을 뿐이었다.

달이 구름이 가려진 순간, 거목 중심이 희미하게 희푸른 빛을 내기 시작했다.

제42화 쌍둥이 여신의 조언

반크라이프트에서 일을 마친 로벨과 엘렌이 정령성에 있는 수경의 방으로 전이하자, 그들이 서 있는 곳은 어째선지 입구 문 바로 앞이었다.

"어라?"

"오리가 일을 하는 중인지도 모르겠구나."

엘렌이 당혹스러워하자, 로벨이 바로 눈치채고 설명해주었다.

오리진이 수경의 방에서 여신으로서 일을 하고 있으면, 가끔 이렇게 튕겨 나온다고 한다.

평소의 오리진이라면 수경으로 엘렌 일행을 지켜보다가 적당한 타이밍에 일을 마무리 지어주기 때문에 이러한 경우는 드물었다. 오늘은 바쁜가 보다며 둘은 대화를 나누었다.

수경의 방 입구에는 그 외에도 아크와 리히토가 있었다. 둘은 엘렌과 로벨이 온 것을 깨닫고서 말을 걸어왔다.

"엘렌, 로벨 형님, 지금 돌아오시는 겁니까?"

"엘렌, 어서, 와!"

"리히토 오라버니, 아크 오라버니, 다녀왔습니다!"

로벨의 품에서 내려선 엘렌이 리히토에게 달려가 포옹을 했다. 리히토는 양손을 펼쳐서 엘렌을 환영했다.

옆에 있던 아크도 리히토를 흉내 내어 팔을 벌리고 웃으면서 엘렌을 기다렸다. 엘렌은 그 품으로 뛰어들려 했지만, 로벨이 냉큼 등 뒤에서 안아 들어 올렸다.

"아버지?"

"이 녀석은 안 돼."

무정한 로벨에게 아크가 화를 냈다. 엘렌과 포옹을 하고 싶어 펼쳤던 두 팔이 갈 곳을 잃고 파닥파닥 위아래로 흔들리고 있었다. 아무래도 화났다는 티를 내고 있는 모양이었다.

"우으으읏!"

"로벨 형님, 엘렌과 너무 거리를 두게 하면 형이 울고 말 겁니다. 포옹 정도는 허락해주세요."

리히토가 쓴웃음을 지으며 말했다. 그 옆에서 툴툴거리며 화를 내던 아크의 얼굴이 점점 울음을 터트릴 듯 일그러지기 시작하는 것을 알아챈 로벨은 떨떠름한 표정을 지었다.

"성가신 녀석일세."

미간에 주름을 잡고서 가차 없이 신랄한 평가를 내리는 로벨. 그러나 엘렌은 로벨의 품에서 전이해 도망치고, 아크 앞에 서서 만세하듯 양손을 들었다.

"엘, 렌."

"아크 오라버니, 포옹이에요."

울 것 같던 아크의 얼굴이 꽃이 피듯 활짝 밝아졌다. 엘렌을 꼬옥 포옹하는 아크에게서는 행복이 넘쳐흘렀고, 무척이나 기뻐 보였다.

전이로 도망치는 바람에 엘렌을 놓친 로벨은 충격을 감추지 못했다. 엘렌이 태어난 지 얼마 안 되었을 무렵, 로벨이 안는 것을 싫어하며 전이해 도망친 일이 아직까지도 트라우마로 남아 있는 것이리라.

다리를 끌어안고 웅크려 앉아서 바닥에 글자를 끄적이며 침울해하는 로벨 옆에서, 엘렌은 아크에게 심하다 싶을 만큼 비비적비비적을 당하고 있었다.

"끄우으으."

엘렌의 정수리에 뺨을 비비적비비적 문지르고 있는 아크의 머리를 리히토가 손바닥으로 밀어, 엘렌에게서 떼어놓았다.

"형, 그쯤 해두세요. 엘렌이 짓눌려서 괴로워하잖아요."

확 하는 소리가 날 것만 같은 기세로 떼어내진 아크는 아쉬운 듯이 엘렌에게 다시 손을 뻗었지만, 그 손도 리히토가 가차 없이 찰싹 쳐냈다.

"네네. 더는 안 됩니다."

"우으~."

엘렌을 몰수당한 아크가 아쉬워하며 쳐내진 자신의 손을 문질렀다. 그 손은 빨갛게 물들어 있었다. 당연하지만, 아픈 모양이다.

괴롭던 참에 구출된 엘렌은 크게 한숨을 내쉬었다.

'도움을 받기는 했지만, 리히토 오라버니도 가차 없으시네요…….'

리히토에게 구출된 엘렌은 마치 아기 고양이처럼 그대로 로벨에게 건네졌다.

이번에는 로벨에게 비비적비비적을 당할 거라고 생각한 엘렌은 또다시 전이해서 도망쳤다.

"엘렌, 도망치다니 너무해~!"

로벨이 울면서 엘렌을 쫓아왔고, 엘렌은 성가시다는 얼굴로 로벨을 바라보았다.

그 모습을 지켜보던 리히토가 어깨를 들썩이며 웃고 있으려니, 아크가 원망스럽다는 듯이 리히토에게 말했다.

"리히토, 엘렌 뺏었어. 너무해."

"엘렌을 있는 힘껏 끌어안아서 괴롭게 한 형 쪽이 너무하다고 생각합니다."

"읏?! 너무해……? 엘렌, 괴로웠어……?"

풀이 죽은 대형견 상태가 된 아크에게 약한 엘렌은 움찔하며 말문이 막히고 말았다.

"괴로웠지만, 리히토 오라버니가 금방 눈치채줘서 괜찮았어요. 다음에 포옹할 때는 힘 조절을 해주세요."

"괴로웠, 구나……. 미안, 해……."

"네. 이제 괜찮아요."

"두 번 다시 엘렌과의 포옹은 허락하지 않겠다."

"얼렁뚱땅 끼어든 로벨 형님이 상당히 혹독한 말씀을 하시네."

"아버지는 당분간 포옹 금지예요."

"어째서어—?!"

엘렌의 신랄함에 로벨이 큰 충격을 받았다.

"엘렌이 반항기야아아아!"

울부짖는 로벨의 목소리가 어찌나 큰지 엘렌은 무심코 자신의 두 귀를 막았다.

"엘렌은 로벨 형님한테 상당히 엄격하네."

"아버지는 제가 싫어해도 멈춰주질 않으니까, 이 정도는 해야 해요."

화난 엘렌의 뺨이 부루퉁하게 부풀어 올랐다. 리히토가 엘렌의 볼을 콕콕 찌르면서 「그러고 보니」 하고 무언가를 떠올린 것처럼 말했다.

"엘렌이 전이를 배운 건 로벨 형님한테서 도망치기 위해서였다며? 어머니가 한동안 웃음을 참지 못하고 자주 이야기하시곤 했지."

"어머니……."

끈질긴 로벨에게서 도망치고 싶은 나머지 전이한 것 같다고 오리진에게 듣기는 했지만 잘 기억나지 않았다.

하지만 전이한 직후의 일은 잘 기억하고 있다. 그때는 무슨 일이 일어났는지 이해하지 못하고 혼란스러워했지만, 자신이 전이했다는 것을 깨닫고는 눈을 빛내며 마법 연습을 했기 때문이다.

"그러고 보니 전이가 처음 쓴 마법이었네요."

"전이부터 배운 정령은, 좀처럼 없거든."

리히토가 쓴웃음을 지었다. 전이는 정령의 이동 수단으로, 인간계에만 머무는 힘이 약한 정령 중에는 쓰지 못하는 이도 많았다.

사람을 함께 이동시키는 대규모 전이는 힘이 강한 대정령밖에 쓰지 못한다. 그리고 어느 정령이나 자신이 관장하는 대상을 첫 마법으로 쓰는 것이 보통이었다.

아마도 엘렌은 여신으로서의 소질도 있고, 처음부터 힘이 강했기 때문에 전이부터 익혀버린 것이리라.

그것을 눈앞에서 목격한 오리진은 놀라면서도, 전이를 익힌 경위에 크게 폭소했다.

그 후 엘렌은 자신도 마법을 쓸 수 있다는 사실을 알고, 열심히 연습했다.

전생 전에 연구실에서 일하기는 했지만, 어떤 인과인지 원소를 관장하는 정령으로 전생할 줄 대체 누가 상상이나 했겠는가.

"아버지한테서 도망치기 위해 열심히 연습했어요!"

"아하하하하!"

처음 마법을 썼을 때의 감동을 떠올리고 그리운 기분에 잠겨 절절하게 말하자 리히토가 크게 웃었다.

"역시 나한테서 도망치기 위한 거였어?!"

인정하고 싶지 않았던 사실을 마주한 로벨은 새하얗게 타버렸다. 입에서 영혼이 빠져나가려 하고 있었다.

'전생한 곳이 정령계의 성이었으니까, 공중에 뜰 수 있게 되면 정령성을 자유롭게 탐색할 수 있을 거란 생각에 노력했었지.'

마법을 배우려 했던 동기가 애초에 불순했다.

"그때 로벨 형님이 소리쳤던 건 나도 기억하고 있어."

전이에 관해서 만큼은 끈질긴 로벨이 좋은 연습 상대였다며 그리움에 눈을 가늘게 뜨고 있으려니, 트라우마를 자극받은 로벨이 소리쳤다.

"엘렌은 왜 나한테서 도망치는 건데?!"

"아버지는 적당히라는 걸 알아주세요. 그보다, 슬슬 자식한테서 벗어나 주세요."

"싫어!"

"즉답이잖아……."

어이없어하는 엘렌과 울면서 전력으로 거부하는 로벨. 웃는 리히토에 부러워하는 아크까지, 시끌벅적했다.

그제서야 엘렌은 위화감을 느꼈다. 평소라면 일조차도 내팽개치고 날아오는 존재가 좀처럼 모습을 드러내지 않고 있었다.

"그러고 보니, 어머니는 아직 일하는 중이신가요?"

"어머니라면 쌍둥이 여신과 이야기하고 있어. 조금 더 시간이 걸리지 않을까?"

"엑."

리히토의 대답에 로벨이 진심으로 싫은 듯 소리를 질렀다.

쌍둥이 여신은 오리진의 쌍둥이 언니들이다. 모든 것을 내다보는 보르와 단죄의 바르. 엘렌의 이모들이지만, 엘렌은 아직까지 만난 적이 없었다.

"쌍둥이 여신이 정령성에 와 있는 건가요?"

"아니야. 쌍둥이 여신은 이 세계와는 다른 곳에서 세계를 관리하고 있기 때문에, 웬만한 일이 없는 한은 오지 않아. 그래서 어머니는 언제나 수경을 통해서 쌍둥이 여신과 연락을 하는데, 쌍둥이 여신과 다른 정령이 만나면…… 약간의 문제가 생기기 때문에, 이야기 중에는 언제나 아무도 들어가지 않도록 하고 있어."

다른 세계를 거점으로 삼고 있다면, 그리 간단히 정령성에 올 수는 없다고 하는 사정도 있으리라.

그건 그렇다고 쳐도, 수경의 방에 결계가 펼쳐질 만큼 엄중한 것은 어찌 된 일일까.

다른 정령이 들어서는 안 되는 여신 사이의 대화를 나누는 것이라면 이해가 되지만, 그보다도 「약간의 문제」란 대체 무엇일까 싶어서 엘렌은 무심코 물었다.

"약간의 문제란 건 무슨 문제인가요?"

"아…… 뭐라고 말하면 좋으려나……."

리히토의 눈동자가 흔들리는 것이 무척이나 말하기 곤란한 듯했다.

"그 녀석들은 터무니없는 타락 여신이고 문제아들이야. 엘렌과 만나게 하는 일은 있을 수 없어!"

로벨의 주장에 엘렌은 깜짝 놀라며 눈을 부릅떴다. 부정적인 표현과 여신을 함께 쓰다니. 모든 것을 내다보는 여신들에게 무슨 말을 하는 것이냐며 두려움에 떨고 있으려니, 아니나 다를까 바로 들켰는지 오리진이 전이해 나타났다.

"정말이지~ 로벨도 참. 전부 들리잖아. 언니들이 발끈하고 있단 말이야!"

어이없다는 표정을 지으며 오리진이 로벨을 떽! 하고 혼냈다.

"어머니, 다녀왔습니다!"

"엘렌, 어서 오렴. 일은 순조롭니?"

"네!"

엘렌이 기운차게 인사를 하자, 오리진이 고생했다고 말하면서 그녀의 머리를 쓰다듬었다.

"오리, 다녀왔어. 내 여신은 오리진뿐이니까, 다른 여신 같은 건 어찌 되든 상관없어."

"정말이지. 어쩔 수 없는 아이라니까. 하지만 엘렌도 여신이 되는걸?"

"엘렌은 특별하지!! 내 공주님이라고. 그 녀석들에게 악영향을 받지 않도록 격리해야만 해!"

"어머나. 로벨도 참. 과보호가 지나쳐~."

둥실둥실 공중에 떠오르며 오리진은 로벨의 콧등을 검지로 콕 찔렀다.

로벨은 그 손을 잡고서 오리진을 끌어당겨 키스했다. 마치 춤이라도 추는 듯, 그 흐름은 우아했다.

"아버지, 얼버무렸어요."

그 모습을 빤히 보고 있던 엘렌의 말에 로벨은 움찔 하며 어깨를 떨었다.

"하지만 엘렌, 실제로 쌍둥이 여신과 만나면 로벨 형님이 그렇게 말한 마음을 이해하게 될 거라고 생각해……."

리히토가 자그맣게 중얼거리고 먼눈을 하면서 로벨의 어깨를 두드렸다. 리히토도 예전에 쌍둥이 여신과 무슨 일이 있었던 것인지도 모른다.

'얼마나 대단한 사람들인 걸까……?'

엘렌에게 있어 가까운 여신이라고 할 수 있는 존재는 오리진뿐이었다. 엘렌의 눈으로 보아도 오리진은 상당히 자유분방하고 감정에 솔직한데, 그보다 대단한 사람들인 것일까?

"엘렌, 그러고 보니 처음이지? 겸사겸사 언니들과 이야기 나눠볼래?"

타락 여신이니 문제아니 하는 이야기를 한창 하는 중에 오리진이 생글생글 웃는 얼굴로 그런 말을 했다.

"안 돼 안 돼 안 돼! 그 녀석들과 엘렌을 만나게 둘 것 같아?!"

"어머니, 안 됩니다! 엘렌이 장난감 취급을 당할 겁니다!"

오리진을 필사적으로 막는 로벨과 리히토의 모습에 엘렌은 주춤했다.

'그렇게나 경계해야 하는 상대인 거야?'

엘렌이 겁을 먹고 있는 옆에선 방치되어 있던 아크가 중얼거리고 있었다.

"쌍둥이, 여신."

"아크는 오랜만이잖아. 만나러 갈래?"

"갈래."

"형?!"

당황한 리히토를 내버려 둔 채, 아크는 오리진과 함께 수경의 방으로 망설임 없이 향했다.

창백해진 리히토를 본 엘렌의 마음 속에선 쌍둥이 여신에 대한 공포의 정도가 상승했다.

"훗, 이제 돌아오지 못할 거야."

"그 정도예요?!"

쌍둥이 여신이란 어떤 사람들일까. 수수께끼가 깊어지기만 했다.

"쌍둥이 여신은 형을 마음에 들어 하니까 괜찮을 거라고 봅니다만……."

쌍둥이 여신에게 있어 아크는 처음 생긴 조카 같은 존재라고 한다. 그야 귀여워할 만도 하다고 생각하지만, 주변의 발언을 듣는 한은 역시 장난감 취급을 받았을 거라고 하는 느낌을 지울 길이 없었다.

리히토의 동요를 보고 있자니 엘렌도 아크가 걱정되기 시작했다.

"그 녀석도 끝이야."

기쁜 듯이 웃는 로벨의 모습에 엘렌은 어이가 없었다. 그런 반응을 보고 있자면, 아무래도 역시 신경이 쓰여 견딜 수 없다.

"쌍둥이 여신과 만나면 대체 무슨 일이 일어난다는 건가요?"

자신만 쌍둥이 여신에 관해 모른다는 것도 마땅치가 않았다. 미리 어떤 사태가 벌어질지 마음의 준비를 하고 싶었다.

가르쳐주지 않는다는 소외감에 조금 쓸쓸함을 느끼면서 다시 물어보았지만, 리히토는 모호하게 답했다.

"엘렌은 어느 쪽으로 기울지 알 수 없으니까 말하기 어려워. 흥미를 가지면 곤란한걸. 로벨 형님은 만나본들 동요하지 않고……."

"반응을 하기 때문에 그런 거다. 그 녀석들이 하는 말 같은 건 내버려 두면 돼.”

“그럴 수 있다면 고생은 안 하죠…….”

‘으음~?’

역시 두 사람 모두 가르쳐주지 않으려나 보다. 엘렌은 고개를 갸웃거리면서 머릿속으로 정보를 정리했다.

· 쌍둥이 여신은 다른 세계에 있으며 정령성에는 자주 올 수 없고, 오면 정령들과의 사이에서 문제가 일어난다.

· 로벨이 말하길 타락 여신이자 문제아이며, 그들이 하는 말을 듣고 동요해서는 안 된다.

· 만나면 장난감 취급을 당한다.

‘쌍둥이 여신분들은 어머니의 언니들이고, 내다보는 힘과 단죄의 힘을 갖고 있고…… 오면 문제가 생긴다…….’

엘렌은 생각에 잠기며 눈앞에 있는 로벨과 리히토를 빤히 보았다. 쌍둥이 여신이 와도 동요하지 않는 로벨과 모호한 태도의 리히토.

여신과 정령 사이에 상하 관계는 분명 있지만, 리히토도 쌍둥이 여신의 조카라 해도 과언은 아닐 정도의 대정령이다. 오리진도 리히토를 귀여워하고 있으니, 쌍둥이 여신이 무언가를 할 거라고는 생각하기 어려웠다.

로벨과 마찬가지로 아크도 쌍둥이 여신에게 동요하지 않는다고 한다면, 성격에 따른 부분이 큰 것이 아닐까 하고 엘렌은 추측했다.

리히토와 쌍둥이 여신은 친척 사이이고, 그렇게까지 마음의 준비를 할 필요가 있다고 한다면 역시 윗사람과 아랫사람의 관계라서 일까? 그렇게 생각하던 엘렌은 무언가가 걸렸다.

'……친척?'

오랜만에 만나는 친척의 태도. 쌍둥이 여신을 정보통인 이모라고 가정하고, 조카 얼굴을 보자마자 뭔가 이야기를 꺼낸다고 한다면.

"쌍둥이 여신 분들이 내다보는 힘을 써서 만나는 사람의 옛 악행을 들추거나, 단죄하는 걸까요?"

엘렌의 중얼거림에 리히토의 어깨가 움찔했다.

"에에엘렌…… 어떻게 그걸……? 누구한테 들은 거니?"

리히토는 목소리를 떨며 동요를 감추지 못하고 있었다. 엘렌의 짐작은 아무래도 맞은 모양이었다.

"추리했어요!"

조금 전까지 가슴속에 있던 의문이 풀린 엘렌은 속 시원한 얼굴로 생글생글 만면에 미소를 지으며 리히토를 바라보았다.

"엘렌은 이렇게 멋대로 답에 다다르거든. 숨기는 건 불가능해."

어깨를 으쓱이는 로벨을 보며 리히토는 큰 한숨을 내쉬었다.

"……엘렌에게 말해서 안 좋은 의식을 갖게 해버리면 쌍둥이 여신의 분노를 사지 않을까 싶은 마음에 무서워서 말하지 못했어. 미안해."

어깨를 축 늘어뜨리며 사과하는 리히토의 모습에 엘렌은 당황했다.

"리히토 오라버니, 저는 괜찮아요. 아버지도 있잖아요."

"에, 엘렌 씨? 제가 어쨌다고요? 그나저나 뭔가 안 좋은 예감이 드는데?"

엘렌의 말에 재빠르게 반응한 로벨의 목소리가 기쁜 듯이 높아졌다. 엘렌이 자신을 의지하고 있다는 사실이 기쁜 모양이었지만, 동시에 지금까지의 흐름으로 보아 그다지 좋은 내용은 아니리라는 것도 학습한 모양이었다.

그러나 기대하지 않을 수는 없는지 뜨거운 눈빛을 한 로벨과, 엘렌의 시선이 마주쳤다.

"아버지가 희생양이 되어주실 거라고 믿고 있어요!"

"엘렌 니이이임?!"

척하고 엄지를 치켜세우는 포즈를 해 보이는 엘렌이 모습에 로벨이 당황했다. 그 광경을 본 리히토가 뿜었다.

엘렌이 의지를 해준다며 기뻐하던 로벨이었지만, 상상과는 다른 내용에 낙담했다.

쌍둥이 여신을 치켜세워 만나게 하면 주변의 빈축을 살 테고, 엘렌에게 거짓말을 하면 아마도 그 부분을 쌍둥이 여신에게 지적받으리라.

지금까지 정령들이 엘렌에게 쌍둥이 여신에 관해 말하지 못했던 것은, 딜레마에 빠져서 어찌하면 좋을지 몰랐던 탓이었다.

"쌍둥이 여신분들은 개성적이로군요."

"그런 말로 정리해버리는 거야……?"

"엘렌, 녀석들은 개성적인 게 아냐. 타락 여신이라고!"

"……아버지, 조만간 정말로 혼나실 것 같은데요?"

그런 이야기를 셋이서 하고 있으려니, 금세 아크와 오리진이 수경의 방에서 나왔다.

"어라? 이야기는 벌써 끝났나요?"

놀란 세 사람을 무시한 채 오리진은 곤란한 표정을 짓고 있었고, 반대로 아크는 매우 기뻐하며 싱글벙글하고 있었다.

두 사람의 대조적인 분위기에 엘렌은 왠지 안 좋은 예감이 들었다.

"……무슨 일이 있었나요?"

"아크가 언니에게 상담을 했는데…… 어쩌지?"

무심코 엘렌이 그렇게 묻자, 오리진이 일단 자리를 옮기자며 응접실로 안내했다.

*

모두는 응접실로 이동했다. 응접실 중앙에 마련되어 있는 카우치 소파에 오리진, 로벨, 엘렌이 나란히 앉았고, 테이블을 사이에 두고 맞은편 소파에 리히토와 아크가 앉았다.

이 응접실은 매우 넓고, 중앙에 있는 테이블과 소파 주변에는 난로와 책장이 갖춰져 있었다.

다른 방과는 이미지가 전혀 달랐고, 꽃보다도 커다란 관엽 식물이 잔뜩 놓여 있어서 마치 숲속에 있는 비밀기지 같은 인상을 주었다.

벨벳 소파와 커튼의 감촉이 기분 좋아서 엘렌도 매우 마음에 들어 하는 장소였다. 어릴 때부터 이 방에서 반과 함께 숨바꼭질을 하거나 책을 읽거나 하며 노는 일이 많았다.

요즘에는 카우치 소파에서 낮잠을 자는 아크를 자주 볼 수 있다. 벨벳의 감촉이 기분 좋은 모양이었다.

엘렌도 숨바꼭질 도중에 커튼을 말고 잠드는 일이 많았던지라, 아크가 낮잠을 자는 모습을 보면 오리진이 엘렌 같다며 자주 웃었다.

오리진은 로벨의 팔에 기대면서 조금 전 일을 다시 설명하기 시작했다.

"아크가 언니들에게 상담을 했는데 말이지, 아크는 마소를 관장하고 있잖아?"

"그래. 그게 어쨌다는 거지?"

"아크의 힘이 돌아오는 중이라, 조금씩이라도 좋으니까 마소 순환을 부탁하고 있었어."

"……엘렌을 따라다니기만 했던 게 아니었나."

실례인 말을 하면서도 로벨은 조금 놀랐다.

"우으. 일, 하고 있어."

뺨을 뾰로통하게 부풀리며 화내는 아크를 보면서도 로벨은 믿을 수 없다며 의심을 멈추지 않았다.

"수상해."

"정말이지, 로벨도 참."

"제가 보좌해야 하지만, 제대로 일하고 있습니다. ……가끔 도망치기는 해도."

"아크의 힘이 아직 완전하지 않은 탓에, 정령계에 머문 상태로는 큰 뒤틀림에 힘이 잘 닿지 않아. 인간계의 그런 곳에는 리히토가 함께 가주고 있어."

요즘 리히토가 아크를 찾아다니는 모습을 자주 보기는 했지만, 이제야 이유를 안 엘렌은 그랬구나 하고 중얼거렸다.

"그럼, 오늘도 함께 인간계에 갔었나요?"

엘렌이 돌아왔을 때 둘이 함께 있던 것을 떠올리며 물었다.

"응. 맞아."

리히토가 부드럽게 대답했다.

"그런데 조금 전 『쌍둥이 여신에게 상담했다』고 말하지 않았던가?"

엘렌이 묻자, 아크가 고개를 끄덕였다.

"형, 쌍둥이 여신에게 상담을 한 겁니까?"

"했어. 풀리지 않아, 말했어."

"쌍둥이 여신에게 상담……."

리히토가 창백한 얼굴을 하는 옆에서, 오리진이 조금 곤란한 표정을 짓고 있는 것이 엘렌은 신경 쓰였다.

어쩌면 장난감 운운보다도 더 쓸데없이 상황이 꼬일지도 모른다.

"무슨 일이 있었나요?"

"마소, 빙글빙글, 했어."

아크가 설명해보지만, 추상적이라 잘 이해되지 않았다. 엘렌의 머리 위에 물음표가 잔뜩 떠오른 것을 눈치챈 리히토가 다시 설명했다.

"오늘 형과 마소 순환을 위해 인간계로 갔는데, 어째서인지 힘이 미치지 않고 순환이 되지 않았거든."

"아크 오라버니의 힘으로 순환되지 않는다고요……?"

그것은 어떠한 힘이 작용하고 있는 것이 아닐까 하고 엘렌도 바로 깨달았다. 학원에서 아크가 구속되어 있던 마법진이 떠올라 엘렌의 표정이 흐려졌다. 그곳에도 비슷한 장치가 되어 있을 가능성을 버릴 수 없었다.

아크와 리히토는 그 후 다양한 수단을 써보았지만 전부 소용이 없었다고 했다. 그래서 오리진에게 상담을 하려 했었다는 설명이었다.

"그래서 수경의 방 입구에 계셨던 거로군요."

"맞아."

상담하기 위해 오리진 곁으로 전이했더니 수경의 방이 폐쇄되어 있었고, 그래서 입구에 서 있었던 것이리라. 엘렌이 돌아온 시간도 거의 동시라 그곳에서 마주쳤다는 것을 알았다.

"그래서, 쌍둥이 여신은 뭐라고 했지?"

로벨이 다음 말을 재촉하자, 오리진이 폭탄을 떨어뜨렸다.

"엘렌을 데려가라고 했어."

"네엣?"

엘렌이 당황하는 것은 당연했지만, 그보다 로벨이 노발대발했다.

"그런 걸 허락할까 보냐—앗!!"

오리진은 로벨이 화내자 예상했다는 듯이 기대고 있던 몸을 바로 띄우고, 온몸으로 꼼짝 못 하게 누르며 로벨의 머리를 끌어안고 방해했다.

"로벨, 진정해줘."

"으윽, 오리, 좀…… 이런, 풀어줘……!"

오리진의 풍만한 가슴께에 로벨의 얼굴이 묻혀 있는 탓에, 로벨은 숨쉬기가 힘들어 보였다.

"어머니, 아버지가 질식할 것 같아요."

"어머나. 여보, 괜찮아?"

"쿨럭쿨럭…… 오리!"

"아잉~ 화내지 마."

오리진이 눈을 홉뜨며 용서를 구했다. 로벨은 오리진의 그런 모습에 약한 모양인지, 얼굴을 붉히면서 「우으으으……」 하고 신음했다.

서로를 바라보는 두 사람을 무시한 채, 엘렌은 일상적인 일이라며 이야기를 진행시키기로 했다.

"쌍둥이 여신님이 어째서 저를?"

"형, 그 말 진짜야?"

"진, 짜! 엘렌, 같이, 가자!"

아크는 엘렌과 함께 갈 수 있다며 기뻐했다. 수경의 방에서 나왔을 때 기뻐 보였던 것은 그런 이유였느냐며 엘렌은 쓴웃음을 지었다.

오리진이 왠지 모르게 곤란한 얼굴을 하고 있었던 것은, 로벨을 어떻게 설득할까 생각하고 있었기 때문인지도 모른다.

로벨이 다시 「안 돼!」라고 소리치려 했지만, 도중에 오리진이 다시 끌어안아 저지했다. 그것을 곁눈질하며 엘렌은 턱에 손을 대고 생각에 잠겼다.

이전, 학교에 갈지 말지를 정할 때도 오리진은 「언니가 엘렌이 찾아줄 거라고 했는걸!」이라며 엘렌을 학원에 보내고 싶어 했다.

쌍둥이 여신이 그렇게 말했다면 정령이 얽힌 일일지도 모른다고 판단해 학원행이 정해졌고, 그곳에서 사로잡혀 있던 아크를 발견했던 것이다.

'……이번에도 정령이 얽힌 일이라고 생각하는 게 맞을까요?'

그러나 모든 것을 내다볼 수 있는 쌍둥이 여신이 한 말이니, 어찌 됐든 엘렌은 반드시 가게 될 것이다.

그저 타이밍이 지나치게 좋다는 점이 조금 걸렸다. 로벨을 향한 괴롭힘이 포함되어 있는 듯한 느낌도 들어서, 엘렌은 무어라 말할 수 없는 기분이 되었다.

"……알았어요. 쌍둥이 여신이 그렇게 말씀하신다면, 제가 가는 데 뭔가 이유가 있을 거라고 생각해요."

학교에 갔던 경위도 쌍둥이 여신의 조언이 있었기 때문이었다. 그 덕분에 아크를 구했다고 하는 실적까지 있었던 만큼, 엘렌이 거절하면 정령이 희생되는 사태가 일어날지도 모른다.

"엘렌, 같이!"

"네. 함께 갈게요."

"만세, 만세!"

"안, 돼애애애애—!"

이번에는 반대로 오리진을 끌어안아 움직이지 못하게 만든 로벨이 소리쳤다. 끌어안긴 오리진은 즐거워 보였다.

"너희한테 엘렌을 맡길 수 없어! 엘렌이 간다면, 나도 간다!"

"아버지, 반크라이프트 쪽은……."

"잠시 휴가다!"

"네에—? 제가 없는 동안은 아버지밖에 대리를 맡길 사람이 없어요!"

"몰라! 엘렌이 없으면 나는 안 갈 거야! 게다가 우리는 어디까지나 보좌다. 자신들의 손으로 감당할 수 없는 경영 상태가 아니잖아? 엘렌이 그렇게 되지 않도록 적당히 물러나 있는 걸 다 알아!"

'들켰네!'

역시 부모인 만큼 엘렌을 잘 파악하고 있었다.

엘렌과 로벨은 정령이다. 자신들의 힘이 없으면 반크라이프트 영지를 운영할 수 없게 될 법한 개혁은 하지 않으려 해왔다.

엘렌은 어디까지나 계기이며, 그 발전은 반크라이프트의 사람들이 서로 협력하여 이룬 것이다.

"네엣—?"

하지만 그 소심한 사우벨이니, 갑자기 엘렌과 로벨이 오지 못하게 되었다는 말을 들으면 당황할 것이 분명했다.

조사는 며칠 정도면 될까? 그보다도 가디엘과 함께 진행하는 사업은 아직 엘렌과 가디엘이 중심이 되어 진행 중이라 자리를 비우기가 망설여졌다.

어쩌면 좋을까 하고 엘렌이 난처해하고 있으려니, 어째선지 평소에는 조용히 지켜보던 오리진이 목소리를 높였다.

“나도 갈 거야!”

이 발언에 아크를 제외한 모두가 「엑?」 하고 당황한 소리를 냈다.

“가끔은 나도 가고 싶어!”

“오, 오리진은 안 되잖아? 인간계에는 장시간 있을 수 없잖아.”

“어머니는 안 됩니다. 마소가 소용돌이치는 이변이 일어나고 있는 땅이니까, 어머니가 가면 풍요의 힘을 받아서 숲은커녕 육지가 확대되어버릴 겁니다.”

리히토의 그 말에는 엘렌과 로벨도 깜짝 놀랐다. 풍요의 힘을 가진 오리진이 마소가 소용돌이치는 곳에 가면 그 정도의 영향을 주고 마는 것이냐며, 놀라움을 넘어 공포마저 느꼈다.

“어머니, 안 돼요!”

“오리는 얌전히 있자. 응?”

“우으…… 나도 가끔은 모두와 함께 가고 싶단 말이야~!”

커다란 눈망울을 글썽이며 울음을 터뜨린 오리진을 보고 모두는 더욱 놀라고 말았다.

“오리, 왜, 왜 그래?!”

“어머니?”

로벨의 품에 매달려 우는 오리진의 모습에 주변 모두가 곤혹스러워하며 어찌할 바를 몰라 했다. 오리진의 상태가 평소와 다르다고 느낀 엘렌은 오리진의 얼굴이 새빨개졌다는 사실을 눈치챘다.

“어머니, 잠시 실례할게요.”

엘렌이 작은 손을 오리진의 이마에 살짝 가져다 대보니, 제법 뜨거웠다.

"어머니, 열이 있는데요?"

"뭐?! 오리, 괘, 괜찮은 거야?"

"우으~ 훌쩍. 열 같은 거 없어. 그러니까 나도 갈래~."

로벨의 품 안에서 싫어 싫어 하고 떼를 쓰는 오리진을 보고서, 엘렌과 로벨은 서로 얼굴을 마주 보았다.

"아버지, 어머니를 침대로."

"그래."

로벨은 오리진을 안아 들고 서둘러 오리진과 로벨의 침실로 전이했다. 다른 이들도 마찬가지로 침실로 전이했다.

"레벤과 클리렌을 데려올게."

리히토가 그렇게 말하며 어디론가 사라졌다. 오리진의 상태를 들은 메이드 사이에서 일기 시작한 동요가 퍼져나가 정령성이 단숨에 소란스러워졌다.

로벨은 오리진을 침대에 눕히려 했지만, 오리진은 로벨의 옷에서 손을 떼려 하지 않았다.

"오리, 침대에 눕자."

로벨이 그렇게 달랬지만, 오리진은 로벨에게서 떨어지고 싶지 않은지 싫다며 고개를 가로저을 뿐이었다.

"아버지도 함께 침대에 눕혀버리죠!"

"그게, 좋겠어."

평소의 복수인지, 아크도 엘렌에게 동의하며 로벨의 허리를 잡아서 휙 들어 올리더니 침대로 퐁 던졌다.

정령이 가볍다고는 하지만, 어른 둘을 가볍게 들어버린 아크에게 로벨도 엘렌도 놀랐다.

"잠, 중요."

"어, 어이!"

아크는 그렇게 말하며 시트를 잡아 로벨과 오리진의 머리까지 폴썩 덮었다.

시트 아래에서 발버둥 치는 로벨을 위에서 제압한 아크는 엘렌을 보며 의기양양한 표정을 지었다.

"아크 오라버니, 나이스예요!"

굿 잡 하고 엄지손가락을 세운 엘렌의 모습에 아크가 화알—짝 웃음 가득한 얼굴을 지었다. 엘렌에게 칭찬을 받아 몹시 기쁜 모양이었다.

때마침 레벤과 클리렌을 데리고 리히토가 돌아왔다. 그러나 그들의 눈앞에 펼쳐진 광경은 시트를 뒤집어쓰고 발버둥 치는 로벨과, 그런 로벨에게 매달린 오리진의 모습. 세 사람은 당황했다.

"아버지, 어머니를 위해서 그대로 있어주세요."

"하, 하지만……."

"그동안에 어머니 진찰을 부탁드려요."

엘렌의 말에 레벤과 클리렌이 고개를 끄덕였다. 아무리 로벨이라도 움직일 수는 없다고 생각했는지 얌전해졌다.

지금이 말을 꺼낼 순간이라며 엘렌은 로벨을 타이르기로 했다.

"아버지, 걱정해주시는 건 기쁘지만 괜찮아요. 아크 오라버니와 리히토 오라버니가 함께고, 반 군에게도 함께 가달라고 할 테니까, 어머니 옆에 있어주세요."

"시커먼 놈들뿐이잖아!"

"네에~? 그럼 아우스톨한테도 부탁해볼게요."

안 될 거라 생각하며 해본 말이었는데, 의외로 효과가 있었던 모양이다.

로벨은 망설이는 기색을 보이기는 했지만, 아우스톨이 함께라면 괜찮다며 납득했다.

"크으…… 무슨 일이 있으면 검을 뽑으라고 말해둘 거다!"

"로벨 형님, 아무리 그래도 아우스톨의 검은 안 됩니다. 산이 날아갑니다."

'뭐? 그 검이 그렇게나 위험한 거였어……?'

반의 어머니인 아우스톨은 정령계에서 손꼽히는 영아의 총장이다. 언제나 짊어지고 있는 커다란 검은 전혀 빼 들 기색이 없었다. 그러나 뽑으면 그것으로 끝, 주변에 엄청난 영향을 주게 된다고 한다.

"아우스톨은 검을 뽑은 적이 있기는 한가요?"

"위력이 대단하니까 좀처럼 뽑지 않아……라고 해야 할지, 뽑을 수 없지만. 전에 뽑았던 건 분명 빈트에게 청혼 받았을 때 아니었던가?"

"네……?"

'청혼을 받아서 검을 뽑아?'

엘렌의 사고가 따라가지 못하고 있는데, 이어서 폭탄이 떨어졌다.
"아, 아니지. 영아의 총장을 정하는 전투 중에, 갑자기 빈트가 청혼했던가?"
"그게 뭔가요—! 엄청나게 궁금해요!"
엘렌이 몸을 쑥 내밀 기세로 물고 늘어졌다.
"최종 결전에 남은 게 아우스톨과 빈트였어. 그때 갑자기 빈트가 청혼을 했거든. 빈트가 너무나도 끈질기니까 아우스톨이 검을 뽑아서 산을 하나 날려버렸어."
"과, 과격해……."
그런 감상을 무심코 내뱉은 엘렌은 문득 떠올렸다.
반크라이프트에서 라필리아에게 사우벨의 재혼 이야기를 들었을 때, 반이 뭔가 말했던 것 같은 기억이 났다.
"반 군이 말했어요. 산이 민둥산이 될 정도라고."
"그래, 맞아 맞아. 그 검을 쓰면 한동안 풀도 나지 않는 죽은 땅이 되어버려. 그래서 어머니가 화냈거든."
눈을 빛내고 있는 엘렌 옆에서 레벤과 클리렌이 오리진을 진찰했다. 또 그 옆에서 아크가 뭔가 「빙글빙글」이라며 계속해서 호소하고 있었지만, 레벤과 클리렌은 고개를 갸웃거릴 뿐이었다.
"마지막에는 빈트가 소리쳤지. 『사랑스러운 아우스톨을 때릴 수 없어!』 라고. 거기서 아우스톨이 빈트의 얼굴을 주먹으로 날려버리면서 결말이 났어."
"후와아아아…… 사랑이로군요……."

"엘렌, 그건 아니라고 봐."

냉정한 로벨이 끼어들었다.

짐승 정령에게 많은 일인데, 빈트와 아우스톨의 경우처럼 청혼은 목숨을 건 싸움이 되는 일도 종종 있다고 한다.

아우스톨이 총장이 되기는 했지만, 아내로 받아줄 상대가 없을 거라면서 한탄했던 선대 총장이 빈트를 놓쳤다가는 손자 얼굴을 볼 수 없을 거라며, 일족이 총동원되어 아우스톨을 설득했다든가 안 했다든가.

"마지막은 빈트의 끈질김에 졌다는 느낌이려나?"

"사랑……!"

"여보세요? 엘렌 씨?"

그 사이에 레벤과 클리렌이 오리진의 진찰을 마친 모양이었다.

그제야 엘렌은 퍼뜩 제정신을 차렸다. 몸 상태가 안 좋은 오리진 옆에서 소란을 피우고 말았다.

죄송해요, 하고 사과하자 오리진에게서는 「아우스는 말이지, 츤데레야……」라는 작은 목소리가 돌아왔다.

오리진은 로벨에게 딱 달라붙어 있기 때문인지 무척이나 기뻐 보였다. 함께 인간계에 가고 싶다는 말을 했었으니, 몸 상태가 나쁜 것보다도 마음의 불안함 쪽이 더 컸는지도 모른다. 주변이 시끌벅적한 것은 오히려 기쁜 일인 듯했다.

"어머니의 용태는 어떠신가요?"

엘렌이 묻자 레벤이 곤란한 표정을 했다.

"여왕님의 힘이 불안정하다는 건 알았습니다만……."

"힘이 불안정…… 하다고요?"

뭔가 이유가 있어 상태가 안 좋다는 뜻일까? 엘렌이 걱정하며 묻자, 어째선지 아크가 설명을 했다.

"여신, 마소, 빙글빙글."

"네?"

아크가 오리진의 배 주변의 마소가 빙글빙글 하고 있다고 설명했다.

"어머니, 뭔가 드셨나요?"

혹시 배탈인가 싶어 엘렌이 오리진에게 의심의 눈초리를 보냈다.

"…………나, 뭔가 먹었던가?"

본인한테도 짚이는 바가 없는 모양이었다. 메이드에게 군것질을 하지는 않았는지 묻자, 엘렌이 선물로 가지고 왔던 쿠키와 홍차를 드셨을 뿐이라고 알려주었다.

"쿠키는 어제 반크라이프트에서 가지고 온 거니까, 하루 만에 상할 거라고는 생각하기 어렵겠네요."

특별히 과자와 홍차는 귀한 시간의 정령에게 부탁해 보존하고 있을 정도다.

모두가 의아한 표정을 짓고 있던 중에, 메이드가 무언가를 떠올린 것처럼 중얼거렸다.

"그러고 보니……."

"달리 뭔가 신경 쓰이는 거라도?"

"어제, 여러분이 외출을 하신 직후부터 여왕님의 상태가 이상했습니다."

"네? 쿠키와 홍차를 드신 건 언제쯤이었나요?"

"엘렌 님이 점심에 외출을 하시고, 두 시간쯤 후였습니다."

"그렇다는 건, 쿠키를 드시기 전부터 상태가 이상했다는 건가요……?"

배탈은 아니었나 보다. 그렇다면 더더욱 오리진의 상태가 좋지 않은 이유를 알 수가 없다며 엘렌은 고개를 갸웃거렸다.

"그러고 보니, 어쩐지 졸렸던 것 같은데……?"

오리진의 오전 상태를 떠올려보았지만, 평소와 같았다고 엘렌은 기억하고 있었다.

"일단 상태를 지켜보는 편이 좋을지도 모르겠네요."

엘렌의 말에 모두가 고개를 끄덕였다.

"어머니. 오늘 가져온 간식은 머핀이지만, 부드러운 음식이 아니니까 내일 상태를 보고서 먹기로 해요."

"싫어어어! 내 간식~!"

"안 돼요. 제대로 누워 계세요."

"싫어어어어어어…… 훌쩍."

열이 있는 탓인지, 금방 눈물을 흘렸다. 옆에 함께 누워 있는 로벨은 상반신을 일으킨 상태로 오리진의 머리를 쓰다듬으며 눈물을 닦아주었다.

"오리, 기운을 차리고서 먹는 편이 분명 더 맛있을 거야."

"우으…… 여보, 옆에 있어줄 거야?"

"물론이지."

로벨의 말에 안심이 되었는지, 오리진은 기뻐하며 로벨에게 바짝 다가갔다.

"아버지, 반크라이프트에는 반 군과 함께 가서 한동안 쉬겠다고 전하고 올게요."

"그래. 알았다."

"아크 오라버니와 리히토 오라버니, 일을 돕는 건 내일부터여도 괜찮을까요?"

"응, 괜찮아."

"레벤과 클리렌은 어머니 옆에 붙어 있어주세요."

"알겠습니다."

"맡겨둬!"

모두에게 지시를 내린 후, 엘렌도 앞으로의 예정을 주위에게 알리기 위해 대략적인 설명을 했다.

"그럼 저는 반 군과 반크라이프트에 다녀오겠습니다. 그 김에 아우스톨에게도 연락해둘게요!"

엘렌의 빠른 일처리에 로벨은 어안이 벙벙했다. 그리고 엘렌은 마지막으로 못을 박아두는 것도 잊지 않았다.

"아버지, 어머니가 몰래 빠져나가지 못하도록 제대로 지켜보셔야 해요."

"으…… 아, 알았다. 엘렌도 조심해야 한다?"

"네!"

밝게 대답한 엘렌은 곧바로 반을 불러내 반크라이프트로 전이했다.

믿음직한 딸의 뒷모습을 보고 있던 로벨은 조금 씁쓸한 기분을 느꼈다.

언제나 작고 귀엽다고만 여겼는데, 입을 열면 누구에게도 지지 않는 딸은 어느 틈엔가 크게 성장해 있던 모양이었다.

조만간 이것저것 따지며 「아버지, 싫어」라는 말을 하는 날이 오는 것은 아닐까 싶어 오들오들 떨고 있는 로벨의 속내를 아는 이는 없었다.

그런 날이 온다면, 충격으로부터 평생 회복하지 못하리라.

"역시 공주님이네요."

엘렌의 빠른 일 처리에 홀딱 반한 레벤이 멍하니 중얼거렸다.

정령들 사이에서 엘렌의 존재가 특별하다는 사실을 깨닫는 것은 이런 때다. 엘렌은 주변을 늘 매료시킨다.

로벨 자신은 오리진과 계약했던 인간이었다고 해도, 정령계에서 깨어난 직후에는 정령들의 비난이 강했다.

무엇보다 정령과 불화가 있는 텐바르 왕가에 속한 귀족이었다는 이유도 있었다.

로벨은 타고난 귀족 기질이라 신경도 쓰지 않았지만, 이 정령계에서 로벨의 힘은 반정령인 만큼 미미한 수준이었다.

대정령을 화나게 하면 순식간에 사라지고 말 정도로, 정령계에서의 로벨은 약했다.

단 하나 특별했던 것은 인간으로서 계약했을 때의 힘과 정령으로서 각성하고 받은 결계의 힘, 그 두 가지를 갖고 있다는 것이었다.

원래라면 정령의 힘은 하나밖에 주어지지 않는다. 그러나 인간이었던 흔적이 남아있던 덕분에 오리진과의 인연이 끊어지지 않았던 것이라며 로벨은 기뻐했다.

인간계의 불화에서 벗어나 오리진과 함께 보내는 자그마한 정원.

그런 조용한 세계에서 갑자기 폭풍 같은 일이 일어났다. 오리진의 임신이다.

설마 하던 일에 주변은 경악했다. 인간과 정령 사이에서 아이가 생길 리 없다며 주변은 입을 모아 말했다.

자세히 알아보니 로벨이 반정령화 되었기 때문에 아이가 생긴 것이라고 한다. 로벨도 반신반의했지만, 점점 불러오는 오리진의 배를 보고서 사랑이 끝없이 샘솟았다.

엘렌이 태어나고 처음 마주한 순간, 옆머리의 배냇머리가 자신과 똑같이 뻗은 것을 보자 사랑스러운 마음이 멈추지 않고 샘솟았다.

품 안에서 무럭무럭 자라나는 소중한 딸이, 성장해 멀어져가는 것이 아쉬워 견딜 수 없었다.

"자식한테서 벗어나 주세요, 라……."

가능할까? 자문자답해보아도 곧바로 「무리야」라는 말이 나오고 말 것이다.

품 안에 소중히 가두고, 숨겨두었던 보물. 마음을 정리하는 데 아직은 조금 더 시간이 걸릴 듯하다.

요즘 엘렌의 몸 상태가 좋지 않았던 일도 있어 눈을 떼지 못했는데, 설마 이 타이밍에 오리진의 몸 상태가 나빠질 거라고는 생각도 못 했다.

그러다 깨달았다. 최근 반크라이프트가의 일로 바빠서 오리진에게 그다지 신경 써주지 못했다고.

오리진이 함께 가고 싶다고 말했던 귀여운 고집은, 언제나 정령성에서 모두가 돌아오기를 기다리는 것이 외로웠기 때문이리라.

아무래도 몸 상태가 좋지 않은지, 곁에 있던 오리진은 어느 틈엔가 잠들어 있었다. 그 사실을 눈치챈 다른 정령들도 소리를 내지 않도록 주의하며 조용히 움직였다.

로벨은 염화로 「옷을 갈아입고 올 테니 오리를 부탁한다」고 주변 정령들에게 말한 뒤 전이했다.

곧바로 잠옷으로 갈아입은 로벨은 오리진을 깨우지 않도록 옆으로 미끄러져 들어갔다. 대기하고 있던 메이드가 이불을 덮어주는 것을 보고서, 물러나도 좋다고 신호를 보냈다.

고개를 숙이고 침실에서 나가는 정령들을 지켜본 로벨은 오리진의 머리를 쓰다듬었다.

로벨은 품에 안은 보물은 엘렌만이 아니라고 자신을 타이르고, 오리진을 안고서 본인도 눈을 감았다.

*

다음 날, 엘렌은 오리진의 몸 상태를 살피고 어제 가져온 선물을 전해달라고 메이드에게 부탁했다.

오리진의 몸 상태가 안 좋아져서 한동안 일을 돕는 건 쉬어야겠다고 사우벨에게 설명했더니, 걱정한 저택 사람들이 선물이라며 간식거리를 잔뜩 챙겨준 일은 본인에게 말하지 말아야겠다고 마음먹었다.

그런 이야기를 했다간 그때야말로 배탈이 날 만큼 먹어버리고 말 것이다. 메이드에게 조금씩 내놓도록 전해두었다.

소화에 좋은 푸딩과 부드러운 찐빵, 그 외에도 오리진의 몸 상태를 생각한 것들이 아주 많았다.

시간을 관장하는 정령에게 시간을 멈추어달라고 했으니 상할 일은 없으리라 보지만, 다른 정령들에게 들키지 않도록 주의할 필요가 있는 것이 과자의 마력일지도 모른다.

엘렌은 그 점도 메이드에게 주의를 주었다.

"그럼 다녀오겠습니다!"

"다녀오렴. 무리는 절대 하면 안 돼."

"네!"

리히토에게 안긴 채, 기운차게 손을 흔들던 엘렌이 그대로 전이해 모습을 감추었다.

남겨진 로벨은 쓸쓸함이 커졌지만, 오리진은 로벨과 함께할 수 있어 기뻐 보였다.

이렇게나 기뻐해줄 거라고는 생각하지 못했던 로벨은 그런 오리진이 너무나도 귀엽게 느껴졌다.

"여왕님, 공주님께서 간식 선물을 맡기셨습니다."

메이드가 가져온 것은 소화에 좋으니 먼저 내놓으라고 엘렌이 지시를 해두었던 푸딩이었다.

"꺄아아아아! 푸딩이다~!"

기쁨의 비명을 지르는 오리진을 보며 로벨은 어라? 하고 고개를 갸웃거렸지만, 말하지는 않았다.

'건강한 건가……?'

지금까지 몸 상태가 나빠진 적이 거의 없는 오리진이라 걱정했었는데, 어쩌면 기우였을지도 모른다고 로벨은 안심했다.

간식을 먹여주기도 하고, 이것저것 알콩달콩한 시간을 보내며 로벨은 오리진의 몸 상태를 살피고 챙겼다.

제43화 일그러진 마소와 비틀어진 나무

아크가 지정한 곳으로 전이한 일행은 공중에 뜬 채로 리히토에게 이야기를 들었다.

“숲속의 가장 큰 나무…… 어라? 형, 저 나무 어제보다 커졌어.”

“정말, 이네.”

리히토의 시선 끝으로 일행이 시선을 돌리자, 숲속에서 두드러지게 커다란 나무의 끄트머리가 보였다.

‘우와아, 판타지!’

이야기 속에 자주 등장하는 공중에 떠 있거나, 나뭇잎이 소생의 약인 그런 거목처럼 보였기에 엘렌은 두근두근 설렜다.

‘잘 생각해보면 내 존재도 판타지였지.’

오리진을 비롯한 정령들의 상식으로도 엘렌은 매우 놀라운 존재라는 것을 알게 되었다.

무심코 전생의 기억으로 이 세계의 것들을 해석해버리는 건 안 좋은 습관이라며 반성했다.

“저곳은 마소가 거치니까, 힘을 쓸 때는 조심해줘.”

리히토가 주의를 주었고 모두가 고개를 끄덕였다. 그대로 스윽 흐르듯이 일행은 나무 아래에 착지했다.

눈앞에 우뚝 선 거목은 압권이라는 한 단어로 설명할 수 있었다.

"우와아아아…… 커다래요……."

엘렌이 거목을 올려다보며 이렇게나 싶을 만큼 눈을 크게 뜨고, 입을 떡 벌렸다.

"엘렌, 입이 다물어지질 않는데?"

리히토가 키득키득 웃으며 엘렌의 턱을 간질였다.

"읍."

간지러워하며 엘렌이 서둘러 양손으로 입을 가리자, 리히토가 웃으며 안아 들었다.

그 모습을 옆에서 보고 있던 아크는 리히토가 부러워졌는지 두 팔을 벌리고서 재촉을 해 왔지만, 리히토가 일축했다.

"형, 이쪽은 신경 쓰지 말고 일하세요."

"우으, 엘렌, 이리 올래?"

"안 가요. 리히토 오라버니도 내려놔 주세요."

"응? 뭐, 할 수 없지."

리히토도 안아 들었던 엘렌을 마지못해 내려주었다.

내려선 엘렌은 리히토에게 감사 인사를 잊지 않았다. 「천만에」라고 리히토에게 대답을 들은 엘렌은 곧장 나무뿌리 가까이로 다다닷 경쾌하게 달려갔다.

"공주님! 뛰면 위험합니다!"

짐승의 모습을 한 반이 서둘러 따라왔다. 리히토도 바로 뒤를 쫓았다.

가장 뒤에서 느긋하게 서 있던 아우스톨이 하품을 하면서 천천히 따라갔다.

"한가하고 아~무것도 없는 곳이네."

아우스톨의 말을 듣고서 엘렌은 무심코 앵무새처럼 그 말을 그대로 따라 하며 물었다.

"아무것도 없는, 곳인가요?"

"그래. 공주님. 여기 아~~무것도 없어."

"없다구요?"

무슨 의미일까 하고 엘렌이 의아해하고 있자, 반도 코를 움찔거리면서 동의했다.

"동물의 기척이 전혀 느껴지지 않습니다."

"네?"

"이렇게 깊은 숲이라면, 새나 사슴 같은 게 한두 마리 있는 건 당연한 일입니다만…… 아무런 기척도 없습니다. 정령도 없습니다."

이상한 상황임을 깨달은 듯 반은 주변을 경계했다.

"리히토 오라버니, 그런 일이 있을 수 있나요?"

"으음…… 없지는 않으려나? 나도 처음 보지만……."

그리고 이어진 말은 믿기 어려운 것이었다.

"몬스터 템페스트가 할퀴고 간 거라고 생각해."

"네……? 이게, 말인가요?"

"그래. 아침에 하늘에서 주변을 한 번 둘러보았는데, 아무래도 여기는 커다란 섬 같아."

"섬……."

섬 중심에서 몬스터 템페스트가 발생한다. 폐쇄된 공간에서 그런 폭풍이 일어나면 어떻게 될지는 자연히 이해되었다.

"마치 고독(蠱毒) 같아……."

"고독?"

엘렌의 중얼거림을 리히토가 놓치지 않고 들었다.

"벌레를 쓴 저주 의식이에요."

"으엑, 공주님은 어떻게 그런 걸 아는 거야?!"

엘렌의 입에서 그런 말이 나온 것이 믿기지 않는다는 눈으로 아우스톨이 이쪽을 보고 있었다.

당황한 반과 상황을 이해하지 못한 아크는 무슨 말을 해야 할지 몰라 하고 있었지만, 리히토만은 조용히 화냈다.

"교육에 안 좋아. 엘렌, 그런 걸 어디서 배웠지?"

"앗?! 어, 어디서 였을까요? 잊어버렸어요."

"……정말로?"

"저, 정말이에요."

말없이 빤히 바라보는 리히토의 시선에, 마음이 불편해졌다.

전생 전의 기억이 있다는 것을 오리진은 알고 있지만, 엘렌은 그 사실을 여기서 설명해도 좋을지 알 수 없었다.

그러나 어설픈 변명도 할 수 없어 식은땀이 흐를 것만 같아졌을 때, 리히토가 작게 한숨을 내쉬었다.

"뭐, 됐어. 그런 걸로 해둘까."

리히토가 머리를 쓰다듬자 엘렌은 작게 「네……」 하고 대답하는 것밖에 할 수 없었다.

"아, 그 고독? 그게 여기와 어떻게 닮은 건데?"

아우스톨의 말에 엘렌은 설명을 시작했다.

"고독이란, 커다란 병이나 항아리에 벌레를 잔뜩 넣고 동족을 서로 잡아먹게 하는 거예요."

"우엑……."

"그 무슨 잔혹한 짓을…… 정령 중에 그런 발상을 하는 자는 없어. 그렇다는 건, 인간인가."

"그, 그러게요……."

리히토의 말이 매우 날카로워서, 지나치게 자세하게 설명하다간 들통이 날 것 같다며 엘렌은 식은땀까지 흘렸다.

'반크라이프트에서 그런 정보를 들었다고 여겨지면, 더는 일을 도울 수 없게 될지도…… 여기는 어떻게든 이야기를 돌려야 해!'

"마지막에 살아남은 벌레를…… 죽인다던가? 저주의 술식에 쓴다던가? 확실하게 기억하지 못해서 죄송해요. 분명, 그런 방법이었어요."

이야기를 돌리려다 지나치게 대충이 되었는지도 모른다.

'으아아아! 어떻게 설명해야 하는 거야?!'

"과연, 확실히 사방이 막힌 섬에서 몬스터 템페스트가 일어나 동족상잔이 벌어지면…… 인간이나 동물이 없는 것도 이해가 돼."

예상했던 것보다 수상하게 여기지 않은 것 같다며 엘렌이 두근두근하고 있으려니, 아우스톨이 핵심을 찌르는 발언을 했다.

"하지만 말이야, 정말로 그렇다면 마지막에 남은 녀석이 있다는 뜻이잖아?”

아우스톨의 말에 엘렌의 얼굴에서 핏기가 사라졌다. 그 생각에 도달한 순간, 단숨에 오싹하고 오한이 들었다.

“흠, 그런 녀석이 나타나면 제가 단숨에 처리해 보이겠습니다!”

엘렌에게 기운을 주려는 듯이 반이 그렇게 말하며 「어흥」 하고 울었다.

“그보다, 꼬마. 너 어째서 짐승 모습인 건데?”

“공주님이 제 털을 매우 좋아하시기 때문입니다!”

“흐음.”

“아, 잠깐, 어머님! 제 털을 잡아 뽑지 말아주십시오!”

“보기만 해도 더운 털이다 싶어서. 밀어버릴까?”

아우스톨이 메고 있는 검의 자루를 쥐며 그런 말을 하니, 반도 엘렌도 히이익! 하고 비명을 질렀다.

“그만두십시오—! 그걸 쓰면 저는 두 동강이 납니다—!”

“아우스톨! 반 군의 털은 소중해!”

「하지 마~ 하지 마~」 하고 엘렌이 허둥대자, 아우스톨은 엘렌의 머리를 쓰다듬으며 말했다.

“뭐, 그런 녀석이 있으면 내가 두 동강 내줄게.”

아우스톨 나름대로 겁을 먹은 엘렌에게 용기를 주려 한 모양이었다. 엘렌은 한순간 어리둥절했지만, 아우스톨의 마음을 깨닫고 미소 지었다.

“의지하고 있어요!”

"그럼."

"공주님! 저도! 저도 있습니다!"

엘렌 주변을 빙글빙글 돌며 어필하는 반의 모습에 엘렌은 기뻐졌다.

"반 군도 의지하고 있어."

"예!"

반은 흥흥 하고 의기양양한 얼굴로 아우스톨을 보았다.

"역시 짜증 나네. 꼬마 털 깎아버릴까."

"그만두십시오!"

그런 대화를 나누는 옆에서는 아크와 리히토가 기척을 찾고 있었다. 아우스톨의 말에도 일리가 있다고 생각한 모양이다.

"형, 그런 녀석이 여기 있습니까?"

리히토가 그렇게 묻자, 아크는 고개를 옆으로 크게 기울였다. 잠시 주변을 살피는 듯했지만, 그런 존재는 포착되지 않는다며 고개를 가로저었다.

몬스터 템페스트 중에 유일하게 살아남은 자가 있다면, 아크가 처음에 눈치채지 못할 리가 없다.

그러나 그것과 비슷한 존재가 달리 있다고 한다면, 그야말로 눈앞의 커다란 나무일 거라며 아크는 손가락으로 나무를 가리켰다.

"네……? 설마 그 존재가 이 나무라고요?"

리히토가 놀라며 말하자 아크는 꾸벅 고개를 끄덕였다.

모두의 시선을 한 몸에 받은 나무는 어제보다 훨씬 크게 뒤틀려 있었다.

엘렌은 눈앞의 나무가 왠지 눈에 익는다는 사실을 깨달았다.

'어쩐지…… 뭔가랑 비슷한 것 같은데…… 으음~.'

기시감이라 해야 할까? 과거의 기억에서 본 적이 있는 것들을 떠올리고 있으려니 어떤 식물이 떠올랐다.

'그래. 관엽 식물인 가쥬마루랑 파키라야!'

굵은 줄기와 둥글고 두꺼운 가지가 뿌리 부분에 복잡하게 얽혀 있는 모습이 가쥬마루와 똑 닮았다.

땅 위에 있는 줄기 중간부터, 기근(氣根)이라고 불리는 노출된 뿌리를 내놓고 있다. 그 부분이 가쥬마루와 겹쳐 보였다.

또한, 주변의 나무가 뒤엉켜 있는 모습은 꼬아놓은 파키라와 비슷했다.

꼬여있는 파키라는 인공물이다. 그런데 눈앞의 거목은 그렇게 여겨질 만큼 일정한 힘으로 주변의 나무를 휘감고 있는 것처럼 보였다.

'이게…… 뒤틀린 마소의 영향?'

마소는 스스로 움직일 수 없을 터다. 그렇기에 아크라는 존재가 있다.

'그렇다는 건, 어떤 영향을 받고 있을 가능성이 제일 높아…….'

엘렌이 생각에 잠긴 것을 깨달은 리히토가 주변의 이들에게 조용히 하라며 쉿 하고 입가에 검지를 세우는 것을, 엘렌을 알아채지 못했다.

'쌍둥이 여신이 나를 데려가라고 조언했다고 한다면, 분명 내 능력이 필요해진다는 거겠지?'

엘렌은 문득 리히토가 나무 중앙에 비석 같은 것이 있다고 했던 것이 떠올랐다.

'조금 멀지만, 여기서 재질을 알 수 있을까?'

엘렌은 나무 가까이로 다가가려 했다. 그러나 기근 같은 가지와 다른 나무가 방해가 되어 중앙의 나무에 다가가기가 어려웠다.

둥실 떠올라서 가장 가까운 줄기 쪽으로 날아갔다. 돌이 있었다던 위치를 적당히 예측하여 힘을 발동시키려 한 순간, 그 일이 일어났다.

"꺅!"

"공주님!"

엘렌이 발동한 힘에 이끌렸는지, 주변 나무들이 쿠구구구구 하고 땅 울림을 일으키며 이동하기 시작했다.

처음에 주의를 받기는 했지만, 설마 이런 작은 힘에도 반응하는 것인가 싶어 놀라움을 감출 수 없었다.

서둘러 반이 엘렌을 감쌌고, 리히토가 등 뒤에서 엘렌을 안고 나무에서 거리를 두었다.

"엘렌, 괜찮니?"

"리히토 오라버니…… 고맙습니다."

엘렌의 심장이 두근두근하고 소리를 내고 있었다. 왼팔에 앉듯이 안긴 엘렌은 리히토에게 매달려 눈앞의 겉옷을 꼬옥 움켜쥐었다. 땅 울림은 한동안 멈추지 않을 듯했다.

"아크 오라버니, 나무 주변에 있는 마소의 농도를 낮추는 게 가능할까요?"

"낮춰?"

"이 나무 주변의 마소를, 멀리 보내버리는 거예요!"

"알았, 어."

아크가 오른팔을 슥 들어 올리자 갑자기 돌풍이 불어왔다. 회오리처럼 마소를 상공으로 보내고 있는 모양이었다.

강한 바람에 무심코 리히토에게 꼭 매달리자, 리히토는 엘렌을 감싸기 위해 머리에 손을 올리고 고정해주었다.

강한 바람이 멈추고 엘렌이 고개를 들자, 땅 울림도 멈추어 있었다. 엘렌은 지금이라며 서둘러 힘을 써서 돌 분석을 시작했다.

"……회렴석?"

주변의 바위 중심에 거대한 회렴석이 끼워져 있었다. 의도적으로 누군가가 그곳에 안치한 것이리라.

"회렴석이 뭐야?"

"그러니까, 조이사이트라고 하는데요…… 이건 바나듐과 산화크롬을 포함한 것 같으니까, 청색 돌인 것 같아요."

"푸른 돌인 거야?"

"네. 나무 중심에 있는 돌과는 별개로, 누군가가 묻어놓은 거겠죠."

조이사이트는 탄자나이트라는 이름으로도 불린다. 내부 성분의 비율로 색과 이름이 달라지는 다색성 돌이다.

바나듐이 청색 탄자나이트, 크롬 보유율이 높은 녹색 그린 조이사이트.

그 외에도 철 보유율이 높은 황색 크리노 조이사이트, 루비를 포함해 불투명한 녹색이 강한 것을 루비 인 조이사이트, 일명 아뇰라이트라고도 불린다.

망간을 포함한 불투명한 분홍색 돌은 튤라이트라고도 불리며, 투명도가 높은 분홍색은 핑크 조이사이트라 불리는 다종다양한 돌이었다.

그중에서도 이 중앙에 자리한 돌은 성분을 보았을 때, 대략적이기는 하지만 분명 탄자나이트일 터였다.

"누군가가 끼워 넣은……."

"네. 돌 중심에 커다란 푸른 돌이 꽂혀 있는 것 같아요."

"과연. 돌의 표면에 덩굴과 이끼가 잔뜩 붙어 있어서 대충 돌인가 생각하긴 했지만, 잘 알 수가 없었는데. 그래서 쌍둥이 여신이 엘렌이 적임자라고 한 걸까?"

"그럴지도 몰라요."

광물에 관한 거라면 엘렌은 누구보다도 자세히 조사할 수 있을 것이다. 쌍둥이 여신은 그것을 내다보고 엘렌을 데려가라고 말한 것인지도 모른다.

엘렌을 지면에 내려놓은 리히토는 공중에 떠있던 아크에게 부탁했다.

"형, 그대로 마소가 돌아오지 못하도록 해주시겠습니까?"

"알았, 어."

리히토가 무언가 하리라는 것을 재빠르게 눈치챈 엘렌이 물었다.

"리히토 오라버니, 뭘 하시려고요?"

"엘렌이 힘을 쓸 수 있었으니까, 내 영화도 쓸 수 있을 것 같아서. 주변 나무를 모조리 불태워 볼까 해."

"영화? 그건 설마……."

"엘렌이 이름 붙여준 내 기술이지."

리히토는 엘렌에게 윙크를 한 번 날리고서 오른손에 눈부시게 빛나는 검을 만들어냈다.

네? 하고 엘렌이 무심코 입을 연 순간, 리히토가 영화를 크게 휘둘러 중앙의 나무 일부를 태워버렸다.

리히토가 솜씨 좋게 영화를 다루어 주변이 나무들을 베어가는 모습은 멋있었지만, 그 이름의 유래를 생각해낸 엘렌은 마음속으로 머리를 감싸 쥐고 있었다.

'이건 설마 그때……!'

꽤 오래전에 그 기술을 보고 무심코 「영화에서 나오는 거……」라고 중얼거린 말을 그대로 이름으로 붙여버린 것 같았다.

'잠깐, 잠깐! 그건 아무리 그래도 너무 부끄럽잖아!'

허둥대는 엘렌을 제쳐두고, 리히토는 나무 중심에 떡하니 구멍을 냈다.

그 중심에는 덩굴과 이끼에 뒤덮인 물체가 있었다. 저것이 리히토가 말했던 돌인가 생각한 것도 잠시, 눈앞이 순식간에 불타올랐다.

"꺄악!"

"적당히 조절하고 있으니까, 돌에 달라붙은 덩굴과 이끼만 불탈 거야. 안심해."

예전에, 엘렌은 리히토에게 집광을 이용하여 열을 발생시키는 방법 등을 세세하게 가르쳐준 적이 있었다.

그 이후로 다양한 일들을 할 수 있게 되었다며 리히토는 매우 기뻐했고, 아무래도 숙련도도 높인 모양이었다.

순식간에 주변의 덩굴과 이끼가 불타고 나타난 것은 중앙에 투명하고 높은 청자색 커다란 탄자나이트 원석이 박혀 있는 돌이었다.

사이즈를 조사해보니, 세로 15센티미터, 가로 7센티미터. 돌에 박힌 깊이는 마찬가지로 7센티미터가 조금 안 되었다.

엘렌의 탐색에 강하게 걸렸던 것이 바로 이것이었으리라.

탄자나이트는 열처리를 하면 투명도 높은 푸른 보석의 원석으로 변한다. 그러나 보통은 섭씨 3백 도 이상의 고온으로 두 시간 이상 열처리를 해야만 할 터였다.

열처리가 된 원석이 묻혀 있었다고 한다면, 그야말로 인공물이라 여겨도 틀림이 없을 터다.

리히토가 광원을 만들어주자, 엘렌 일행은 가까이 다가가 찬찬히 돌을 살폈다. 엘렌의 눈동자는 경악으로 커다래졌다.

"설마, 바이컬러 조이사이트!"

박혀 있던 원석은 투명도가 높았고, 파란색과 보라색이 아름다운 그러데이션을 이루고 있었다.

두 색 이상을 포함하고, 아름다운 그러데이션과 그 색의 농도로 희소가치가 쑥 올라간 돌을 바이컬러 조이사이트라고 한다.

바이컬러 조이사이트는 열을 가하지 않아야만 그 이름으로 불릴 가치가 있다. 이 투명도며, 색의 농도며, 좀처럼 보기 어려운 물건이었다.

어쩌면 고농도의 마소가 영향을 주었는지도 모른다며, 엘렌은 타고난 연구자 기질이 뭉게뭉게 솟아오르는 것을 느꼈다.

"엘렌의 기세가 엄청나네……."

옆에 있던 리히토가 약간 당황한 반응을 보였고, 그 태도에 엘렌은 퍼뜩 정신을 차렸다.

"가지고 가서 조사하고 싶다……."

엘렌이 조용히 중얼거린 말에 아우스톨과 리히토가 쓴웃음을 지었다.

"공주님, 의외로 호기심이 많네."

"엘렌, 이건 어쩌면 마소에 영향을 주는 원인일지도 모르는데?"

"앗!"

"깜빡했지?"

"네……."

에헤헤, 하고 열없이 웃는 엘렌을 보며 모두가 쓴웃음을 지었다.

"공주님, 그 돌 아래에 무언가가 쓰여 있습니다."

"네?"

반의 말에 모두의 시선이 동시에 아래로 이동했다. 그 문장을 보고, 모두는 놀라움을 감추지 못했다.

돌에 새겨진 글자는, 바로 정령어였다.

제44화 비석에 새겨진 정령 이야기

"이건 정령어죠?"

엘렌이 조금 자신 없는 투로 묻자, 리히토는 「그리운걸」 하고 중얼거렸다.

"응, 살짝 오래됐지. 이거 자체는 5백 년쯤 전 거려나?"

인간계만큼 현저하지는 않지만, 정령계도 시간이 흐르면 그 시대의 유행과 풍조로 문자의 종류와 표현이 조금씩 변한다.

인간계에서는 정령어가 가장 오래된 문자로서 기록되어 있으며, 문헌 등에 실려 있다고 전에 로벨이 가르쳐주었었다.

일단 엘렌도 읽을 수는 있지만, 설마 이런 곳에서 보게 되리라고는 생각하지 못했었다.

인간계에도 정령어를 아는 자가 드물게 있지만, 텐바르국에서는 정령어에 정통한 자가 별로 없다고 들었다.

정령과의 계약과 마법진에 쓰이는 문자는 정령어와 인간계의 문자가 섞여 파생된 것으로, 정령계에는 없는 것이었다.

학원에서 아크가 잡혀 있던 때의 마법진도 아마 3백 년 전의 문자였을 것으로 여겨졌다. 그러나 엘렌은 계약에 쓰이는 언어는 잘 몰라 읽지 못했다.

'5백 년 전이 살짝 오래라니…… 대단해.'

엘렌에게 5백 년이란 시간은 끝없이 멀게 느껴졌다. 여기에 있는 대정령의 절반은 이 세계의 창립 멤버이니, 역시 차원이 달랐다.

엘렌은 모두의 정확한 나이를 모른다. 슬쩍 물어보아도 「몇 살이었더라?」라며 본인들이 애초에 잘 기억하지 못했다.

인간의 감각을 갖고 있는 엘렌으로서는 잘 알 수 없었지만, 방대한 시간의 흐름에 몸을 둔다는 것은 이러한 것일지도 모른다.

사람도 나이를 먹으면 점점 시간의 흐름이 순식간인 것처럼 느껴지게 된다. 체감 시간과 나이는 반비례한다고 하는 자네의 법칙이다.

변화를 따라가지 못하고 과거를 잊지 못한다는 점은 서로 비슷하니, 어쩌면 근본적인 부분은 정령도 인간도 다르지 않을지도 모른다.

"그나저나, 무어라 쓰여 있습니까? 저는 못 읽습니다."

반도 비석의 문자를 읽지 못하는 모양이었다.

"공주님과 꼬마는 태어난 지 얼마 안 됐으니 어쩔 수 없지."

시대의 흐름이 그렇게 만든 것인지, 새겨진 글자엔 군데군데 빠져 있는 부분이 있었고 리히토도 조금 힘들게 읽었다.

【영원을 함께…… 약속, 땅에서 다시 만나…… 뒤마의 잠…………】

"음~ 이 정도밖에 못 읽겠어."

리히토의 말을 듣고서 엘렌은 솔직한 감상을 말해보았다.

"뒤마의 잠…… 이건 뒤마 씨의 무덤일까요?"

"인간은 죽으면 묘를 만든다지? 죽으면 땅에 묻고서 이런 돌을 위에 세우는 건가?"

「묻는다」는 말을 들은 엘렌이 떠올렸다.

'이 세계에서는 기본적으로 어디든 시신을 매장하니까, 아래에 뼈가 있을지도?'

엘렌은 힘을 써서 주변의 흙 성분을 조사했다. 사람의 무덤이라면, 이 비석 바로 아래쯤이리라 생각하고 힘을 발동시켰다.

"뭔가 생각났어?"

"이 비석 아래의 흙 성분을 분석해볼까 싶어서요…… 앗."

비석에서 몇 미터 아래에 칼슘 덩어리가 일정 간격으로 있었다. 이 길이와 대략의 양을 보아, 성인 한 명분인 듯했다.

'뒤마라는 이름을 보면, 남성인 걸까?'

"비석 아래에 어른 한 명분의 유체가 있습니다."

"엘렌은 그런 것까지 알 수 있는 거야……?"

엘렌의 힘을 그다지 본 적이 없었던 리히토는 놀랐다. 아우스톨은 「어떻게 안 거야?」라며 고개를 갸웃거렸다.

"공주님이니까요!"

어째선지 반이 자랑스러워하며 그렇게 말했다.

"이 비석 주변만 식물 뿌리가 구체가 되어 둘러싼 상태라 깨끗하게 보존되어 있는 것 같아요."

"보존…… 그 시체가 마소를 조종할 가능성은 있을까?"

"분명 주변의 뿌리가 이 유체를 지키고 있는 것처럼 보여요. 하지만 인간에게 그런 일이 가능할까요?"

"무리겠지. 어머니는 인간을 만들 때 정령과 이야기할 수 있게는 했지만, 힘은 주지 않았으니까."

"어째서 정령과 이야기할 수 있게 한 것일까요?"

"그야, 안 그러면 무슨 일이 생겼을 때 말을 듣게 할 수가 없잖아?"

'……어쩐지 조금 슬퍼.'

단호한 답변에, 로벨과 엘렌의 존재가 부정당한 것만 같은 기분이 들고 말았다.

그들에게 그럴 마음이 없다는 것은 알지만, 역시 가슴속이 찌릿하고 아파졌다.

"……그렇지. 정령어."

"엘렌?"

"이 유체에 생전 계약한 정령이 있고, 그 아이가 마소를 조종해 이 유체를 지키고 있다…… 그런 걸까요?"

"으음. 주변에 그런 녀석은 없는 것 같은데?"

아우스톨은 코를 킁킁거리고 있었다. 보니, 반도 코를 움찔거리고 있었다.

바람을 관장하는 자는 인간의 모습이든 짐승의 모습이든 관계없이 냄새로 알 수 있는 걸까? 엘렌은 조금 흥미를 느꼈다.

"반 군, 냄새로 알 수 있어?"

"어머님만큼은 아니지만, 대강은 압니다."

"와! 대단해!"

엘렌이 존경의 눈빛을 보내자, 반은 의기양양한 얼굴을 하고서 흥흥 거친 콧바람을 내쉬었다.

꼬리도 붕붕 흔들었기에 「꼬마는 알기 쉬운 녀석이라니까」라며 아우스톨에게 놀림을 당했다.

"엘렌, 정령이 조종하고 있을 가능성은 없다고 봐."

"내가, 마소, 조종, 못 해."

마소를 다룰 수 있는 정령이 존재한다고 해도, 아크의 힘을 당해낼 수 있을 리 없다. 하지만 현재 아크는 이곳의 마소를 조종하지 못하고 있었다.

그것이 신경 쓰였는지, 아크가 어깨를 축 늘어뜨리고 있는 것처럼 보였다.

"아크 오라버니, 다룰 수 없는 마소는 이 비석 주변인가요?"

"……아마도?"

"이 주변 마소는 농도가 높아져 있어요. 하지만 지금은, 아크 오라버니가 주변의 마소를 상공으로 보내서 농도를 낮추고 있죠?"

"으, 응."

엘렌은 하나하나 확인해나갔다. 그리고 그것을 바탕으로 추측할 수 있는 것을 정리했다.

"그렇다는 건…… 비석이나, 혹은 이 주위의 무언가가 주변의 마소를 일그러뜨리고 있다고 생각하는 게 타당할 거라고 봐요."

"아~ 그렇군. 분명 지금은 평범하게 힘을 쓸 수 있어."

엘렌이 으음~ 하고 신음하며 비석을 바라보고 있자, 반이 성큼 나섰다.

"그럼 제가 주변을 좀 살펴보겠습니다. 제 코로는 미처 맡지 못한 정령이 숨어 있을지도 모릅니다."

"확실히……. 반 군, 부탁할게. 하지만 무리는 하면 안 돼."

"알았습니다."

그렇게 말하고 반이 휙 사라졌다.

"내가 이 나무, 두 동강 내버릴까?"

등의 검 자루를 쥔 아우스톨의 모습에 리히토가 어이없어하며 말했다.

"그 검이면 나무만으로는 끝나지 않잖아요?"

"같이 날아가는 건, 저 너머에 있는 산 정도라고."

"더더욱 안 되잖아요!"

곧바로 주위에서 지적이 날아들자 아우스톨은 부루퉁해졌다.

"안 된다고 하지 마. 가끔은 이 검 쓰고 싶다고. 조금은 써주지 않으면 녹슬어 버리잖아?"

"그거 살아 있으니까 녹슬지 않습니다. 그보다, 정말로 어머니께 혼날 거예요."

"말이 그렇다는 거지. 여왕님은 딱히 무섭지 않으니까, 가끔은 괜찮다고 생각하지 않아?"

"『아우스 안 돼~!』라고 말하면서 어머니가 날아올 겁니다."

"앗, 하지 마! 어째서 네가 그걸 아는 거야?"

아우스톨이 검을 뽑으려 할 때마다 오리진에게서 바로 염화가 날아든다고 한다. 타이밍이 지나치게 좋은 오리진의 염화에 아우스톨은 언제나 혀를 차기는 했지만, 어째서 리히토가 그 일을 아는 것이냐며 놀랐다.

"어머니가 언제나 말씀하시니까요."

"어째서어!"

간단한 이유에 아우스톨은 맥이 풀렸다. 그 옆에서 아크가 불쑥 고개를 내밀었다.

"그거, 살아, 있어?"

아우스톨의 검에 흥미를 느꼈나 보다. 아크는 최초의 정령이라고 하건만, 기본적으로 남에게 관여하지 않는 타입이라 이런 정령계의 상식을 전혀 알지 못하는 모양이었다.

"이것은 검이 된 정령입니다. 소유자의 힘을 흡수해서 파괴력으로 바꾸죠."

"이 녀석, 뽑아주질 않으면 계속 잔다고."

"자고, 있어? 언제, 일어나?"

아크가 설레는 듯, 깨우고 싶어 하는 모습을 보이자 리히토가 정색하며 말했다.

"깨우면 안 됩니다."

그렇게 농담을 하는 세 사람의 대화를 깨닫지 못하고, 엘렌은 줄곧 생각에 잠겨 있었다.

'돌에 새겨진 건 약 5백 년 전의 정령어…….'

이 유체와 계약한 정령이 계약자의 사후에 묘를 만들고, 묘비에 정령어로 문자를 새겼다고 가정해보았다.

엘렌의 힘이라면 돌의 연대를 알아보는 것도 불가능하지는 않지만, 수백 년에서 수천 년을 지난 돌을 써서 묘비를 세웠다고 한다면, 돌의 연대를 조사해본들 도움이 되지 않을 터였다.

'유체의 뼈를 꺼내서 방사성 탄소 연대 측정 같은 걸 할 수 있을까? 하지만 주변의 뿌리에 유체가 보호받고 있다고 생각하면, 마소의 농도가 높은 흙이나 벌레, 기온에 따른 분해 속도로 계산을 맞춰보아도…… 아무래도 전문 밖이야.'

그렇게 하려면 해부학과 고고학 등의 전문 지식이 필요했다. 게다가 세계가 다르니, 마소가 가져오는 흙의 영향과 분해에 관여하는 벌레의 종류도 다를 터다. 아무래도 그쪽 분야에는 정통하지 못하다며 엘렌은 어깨를 축 늘어뜨렸다.

주변에서는 정령의 모습이 보이지 않는다고 한다. 몬스터 템페스트 탓에 정령이 없어졌다고 해도, 연대를 알면 당시의 일을 아는 정령을 정령계에서 찾아내 이야기를 들을 수 있지 않을까 생각했다.

대략적인 연대를 특정할 수 있는 다른 방법은 없을까 하고 다시 생각해보았지만, 결국 이 이상 참고가 될 연대는 알 수 없었다.

'5백 년 전에 마소가 뒤틀렸다면 그건 아크 오라버니가 눈치챘을 거야. 그렇다는 말은, 마소가 뒤틀린 건 아크 오라버니가 잡혀 있던 지난 3백 년 사이라고 생각하는 게 맞겠지.'

정령에게 묘라는 개념은 없다. 정령이 계약자를 소중히 여겼고, 인간의 습관을 따라 묘를 세우고, 돌에 정령어를 새겼는지도 모른다.

"묘를 지키던 정령이, 몬스터 템페스트 때문에 뒤틀렸다고 한다면……?"

학원에 잡혀 있던 아크는 베른드르의 선조가 그렸던 마법진의 영향으로 마소를 조종할 수 없게 되었다. 그것이 3백 년 전의 일.

묘를 지키던 정령이 몬스터 템페스트가 일어났음에도 개의치 않고 묘를 지키기 위해 여기에 계속 남아 있었다고 한다면.

조금 전 저주의 수법으로 고독을 설명하긴 했지만, 정말 그 말대로의 일이 일어났을 가능성이 훅 높아졌다.

"반 군은 괜찮을까요?"

"갑자기 왜 그러지?"

엘렌은 자신이 도출해낸 추리를 모두에게 들려주었다.

묘를 지키던 정령이 있었다고 가정하고, 정령은 계약자의 사후에도 줄곧 묘를 지켰다. 그 후 몬스터 템페스트가 일어났어도 도망치지 않고 정령이 뒤틀려버렸을 가능성이 있다, 라고.

"뒤틀려버렸다고 한다면, 그 아이가 쓰는 마법도 뒤틀려버렸을 가능성이 높다고 생각해요."

"과연. 확실히 일리가 있어."

정령은 고농도의 마소에 어느 정도 견딜 수 있는 존재이기에, 몬스터 템페스트가 발생했을 때는 정령 마법사가 전선에 서게 된다.

그러나 아무리 내성이 있다고 해도, 장시간 고농도의 마소에 노출되면 정령이라고 해도 무사할 수는 없다.

무사할 수 있는 건, 그야말로 대정령 정도이리라.

기본적으로 대정령은 정령계를 거점으로 삼고 있다. 인간계에 용건이 있어서 우연히 들렀을 때 만난 인간과 계약하는 일도 없지는 않다.

대정령과 계약할 수 있었던 인간은 보기 드문 운을 가졌거나, 계약했던 정령이 승화하여 대정령이 되었거나 하는 두 종류뿐이라 몹시 희소한 존재였다.

"몬스터 템페스트는 마소가 고농도로 정체된 후에 폭발 같은 것이 일어나고, 그 힘에 휩쓸려 뒤틀리고 마는 것입니다. 그 폭발에 삼켜져 뒤틀리고, 마지막까지 이 섬에 남아 있었다고 한다면……."

"엘렌이 말했던 고독이라는 건가……."

"역시 여기에는 흉악한 놈이 하나 남아 있다는 뜻이야?"

"네. ……반 군이 걱정되니 다시 불러오죠."

엘렌은 염화로 반에게 말을 걸었다. 그러자 마침 그 타이밍에 반 쪽에서도 무언가를 발견했다고 연락을 해 왔다.

"유적이라고?"

『숲속에 무너진 유적이 있습니다. 어떻게 할까요?』

"미안. 잠시만 기다려줘."

『알겠습니다.』

엘렌은 모두의 의견을 듣기 위해 고개를 들었다.

"반 군이 근처에서 유적을 발견했대요."

"오호. 그럼 가볼까? 뭔가 단서가 있을지도 몰라."

"알았습니다. 반 군에게 안내를 부탁해볼게요."

엘렌이 염화로 반에게 이야기를 전하자 곧바로 반이 전이해 돌아왔다.

"그럼 다음은 그쪽으로 가보자. 형, 이곳의 마소는 한 번 원래대로 돌려놓았으면 하는데 괜찮겠습니까?"

"괜, 찮아."

힘을 계속 사용했음에도 아크는 지친 기색을 보이지 않았다.

"형, 힘이 상당히 돌아왔군요."

"그런, 가?"

기쁜 듯이 생글생글 웃는 아크의 모습에 리히토와 엘렌도 따라 미소를 지었다.

심각한 상태였던 아크를 알고 있는 만큼, 회복이 두드러져 보여 기뻤다.

"아크 오라버니. 힘을 해제할 때 마소의 움직임을 볼 수 있나요?"

"으, 응?"

"아크 오라버니라면, 마소의 움직임을 알 거라고 생각했는데요……."

"알, 아."

아크의 대답을 듣고서 엘렌은 눈을 빛냈다.

"여기에 마소를 돌려놓으면, 리히토 오라버니가 말한 일이 일어날 거라고 생각해요."

"확실히, 이 공동도 순식간에 회복시켜버리겠지."

"네. 유적에 가기 전에 마소의 움직임을 확인해두고 싶어요."

"알았어. 그럼 거리를 두자. 주변 나무도 말려들 테니까."

그렇게 말한 순간, 엘렌은 리히토의 팔에 안길 뻔했다. 하지만 바로 옆에서 손이 뻗어왔다.

"와앗?"

"엘렌은, 이쪽."

여전히 웃고 있는 아크에게 엘렌은 안아 들려졌다. 타이밍을 놓친 리히토가 쓴웃음을 지었다.

"선수를 빼앗겼나요."

"다음, 내 차례."

드디어 엘렌을 안게 되었다며 아크는 엘렌의 머리에 비비적댔다.

"뀨우으."

"형, 기쁜 건 알겠지만 적당히 하세요. 엘렌이 찌부러집니다."

"음. 조심, 할게."

"…………."

엘렌은 영혼이 반쯤 나간 듯 허무한 표정을 짓고 있었다.

'어째서 이렇게…… 내 주변 사람들은 포옹을 하고 싶어 할까…….'

엘렌은 먼눈을 하면서 떨어지지 않도록 아크의 목덜미에 꼭 매달렸다.

그것이 기뻤던 아크는 다시 비비적거려서 엘렌을 곤란하게 했다.

"뀨우으."

"형!"

"미, 안."

"너희, 뭐 하는 거냐?"

어이없어하는 아우스톨의 시선을 받으면서, 모두가 공중으로 떠올라 거목에서 50미터 정도 거리를 두었다.

거목이 잘 보이는 곳으로 이동한 후, 아크는 엘렌을 받쳐 안은 왼손은 그대로 두고 오른손을 슥 상공을 향해 가볍게 휘둘렀다.

그러자, 곧바로 쿠구구구구…… 하고 거목을 중심으로 격렬한 땅 울림이 일어났다.

"설마 이런 일이……."

엘렌도 놀라며 상황을 지켜보았다. 지면이 흔들리면 놀란 새들이 날갯짓할 법도 하건만, 그러한 모습은 전혀 없었다.

푸른 숲인데도 동물의 모습이 전혀 보이지 않는 그 광경은 매우 이상했다.

거목은 드러난 비석을 껍질처럼 감싸려 하며 주변 나무들을 끌어당겨 모았다. 당겨진 나무뿌리에 질질 끌려서 지면이 산처럼 부풀어 올랐다.

그때, 비석에 박혀 있던 탄자나이트 원석이 햇볕을 반사하며 번쩍 빛난 듯했다.

'……어라?'

엘렌은 그 부분을 응시했다. 탄자나이트 원석에 힘은 없을 터인데, 마법의 파동을 느꼈던 것이다.

"돌, 마소 모으고, 있어……?"

엘렌의 머리 위에서 아크가 조용히 중얼거렸다. 우연히 품에 안겨 있었기에 들려온 정도의 작은 중얼거림이었다.

'탄자나이트에 그런 힘 같은 건 없을 텐데…… 어떻게 된 거지?'

사태는 한층 더 수수께끼에 휩싸였다.

*

반에게 안내를 받아 내려선 곳은, 조금 전 거목에서 5킬로미터 정도 떨어진 위치였다.

반크라이프트에서 본 묘지는 마을에서 조금 떨어진 곳에 있었기 때문에, 꽤 떨어진 곳에 비석이 있었다는 것을 깨달았다.

유적은 약간의 벽과 건물의 크기를 어느 정도 가늠할 수 있는 토대가 남아 있을 뿐이었다.

'꼭 벵 메알레아 유적 같아……!'

유명한 애니메이션의 모델이 되기도 했다고 하는 붕괴한 유적. 돌에는 이끼가 꼈고, 반파된 문에 나무뿌리와 덩굴이 뒤엉켜 있었다.

유적을 뒤덮으려는 듯, 숲은 거목이 있던 곳과 똑같이 울창했다. 그 탓에 위에서는 유적의 모습을 확인하기 어려웠다.

용케도 발견했다고 리히토가 감탄했다. 리히토에게 칭찬을 받은 반이 의기양양한 표정을 지은 것을 눈치 빠르게 발견한 아우스톨이 「꼬마가 우쭐해졌어」 하고 웃으며 놀렸다.

"반 군, 큰일을 해냈어!"

"제가 해냈습니다!"

짐승의 모습을 한 반이 머리를 내밀어 오자, 아크에게 안긴 채로 엘렌은 반의 머리를 쓱쓱 쓰다듬었다.

"허공에 뜬 채로 재주도 좋네."

"무슨 말씀입니까. 저는 언제나 재주가 좋습니다."

"아, 그래 그래."

아우스톨의 건성인 대답에 반이 으르렁거렸다.

"어머님도 가끔은 저를 칭찬해주십시오!"

"시끄러워 시끄러워."

일상인 대화에 귀를 기울이면서 리히토가 주변을 빙글 둘러보며 말했다.

"발 디딜 만한 곳이 없을 것 같으니 할 수 없어. 뜬 상태로 주변을 둘러볼까?"

리히토의 말에 모두가 고개를 끄덕였다. 그리고 조금 전 엘렌이 설명했던 내용을 반에게도 전했다.

"역시 가까이에 마소를 다루는 자가 있을 가능성이 높다는 겁니까……."

"조금 전 비석을 중심으로, 마법이 발동되고 있는 기척이 있었어. 마법진은 보이지 않았지만, 멀리에서 조종하고 있을지도 몰라."

"알겠습니다."

리히토가 정신을 똑바로 차리고 행동하라며 주의를 주고, 각자가 유적을 조사하기 시작했다.

"아크 오라버니, 내려주세요."

"싫, 어."

아크는 고개를 휙휙 가로저었다. 놓아주지 않겠다는 듯이 엘렌을 안은 팔에 희미하게 힘이 들어갔고, 꼭 끌어안았다.

“이래서는 잘 안 보여요.”

곤란한 표정으로 엘렌이 말하자 옆에서 「그럼 안 돼」라는 목소리가 들려왔다.

“아크 형, 엘렌을 놔주지 마세요. 엘렌은 뭔가에 집중하면 주변이 눈에 안 들어오게 되니까요.”

“에이—.”

“엘렌은 전과가 있잖아.”

엘렌에게서 불만의 목소리가 나왔지만, 리히토도 뜻을 굽히지 않았다.

엘렌은 과거 학원에서 무리를 하다 쓰러진 탓에 혼이 몸에서 빠져나가 큰 소동이 벌어졌던 적이 있다.

그때 오리진을 중심으로 대정령들이 엘렌의 영혼을 수색했다고 들었고, 이후 몸 상태가 회복된 후에 수색해준 대정령들에게 사과를 하러 갔었다. 그중에는 리히토도 포함되어 있었다.

리히토의 말이 가슴에 푹 박힌 엘렌은 「우으으……」 하고 신음할 수밖에 없었다.

“아크 형, 엘렌이 보고 싶다고 하는 곳에 데려가 주세요.”

“알았, 어.”

“……죄송해요. 아크 오라버니, 부탁드릴게요.”

엘렌의 부탁을 받은 아크가 부드럽게 웃었다. 아크가 엘렌의 머리를 쓰다듬자, 엘렌은 간질간질한 기분이 되었다.

자신이 무모한 짓을 한 탓에 주변에 걱정을 끼치고, 과보호를 하게 만들었다.

간질간질한 기분과 면목 없는 기분으로 엘렌의 마음속은 뒤죽박죽이 되었다.

그 후, 제각기 단서를 찾는 중에 엘렌은 유적 전체를 보면서 생각했다.

'풍화 같은 게 아니라, 폭풍을 만나서 파괴된 느낌이 들어…….'

몬스터 템페스트가 일어났을 가능성이 있다고 추측했지만, 이곳도 그 피해를 받고 만 것일까.

아크에게 부탁해서 얼마 남지 않은 벽에 접근해보니, 본 적 없는 모양이 새겨져 있었다. 그것은 풍화되어 빠져 있거나 어떤 상처가 나 있거나 해서 볼 수 있는 부분은 별로 없었다. 이러한 모양은 정령계에서 보지 못했다.

거목의 비석에 정령어가 새겨져 있는 것을 보고 어쩌면 이 토지 전체가 정령과 연관이 있을지도 모르겠다고 생각했었는데, 아무래도 그렇지는 않은 모양이었다.

'고고학을 조금이라도 배웠더라면, 뭔가 알 수 있었으려나…….'

인간계에 기록된 문헌 같은 걸 확인하고 싶기도 했지만, 그러한 것이 있다고 한다면 그야말로 왕가의 도서관이나 학원 같은 전문가가 있는 곳일 터였다.

왕가와의 불화가 있는 이상, 엘렌은 협력을 구할 수 없었다.

'게다가 이 섬은 텐바르국에서 상당히 멀어…….'

텐바르에 이 섬에 관한 기록이 있을 가능성은 아주 낮으리라.

엘렌은 미간에 주름을 잡으며 으음 하고 신음했다. 그때마다 아크가 알아차리고 엘렌의 머리를 쓰다듬어주는 바람에 집중력이 흐트러져서 생각이 중단되었다.

아크는 유적은 안중에 없는지, 줄곧 생글생글 웃으며 엘렌을 보고 있었다. 그 사실을 눈치챈 엘렌은 조금 거북해졌다.

'이 상태라면 이것저것 본 다음에 하는 편이 나을지도…….'

엘렌은 쓴웃음을 지으며 탐색을 계속했다.

그리고서 그들은 두 시간 정도 주변을 탐색했지만, 단서는 아무것도 발견하지 못했다.

*

해가 지기 시작했을 무렵에 염화로 모두를 불러 모았다. 모인 이들에게 뭔가 있었는지 물었지만, 모두 고개를 가로저을 뿐.

"눈에 띄는 건 아무것도 없었어."

"아무래도 우리로는 수백 년 전 인간 유적은 알 수가 없어."

모두가 한숨을 섞어가며 말했다.

"수상한 인물도 없었던 모양이고, 정말 곤란하네요……."

정령 중에 인간의 역사를 아는 인물이 있는지 묻자, 반대로 「그런 녀석이 있나?」 하고 아우스톨에게 질문받고 말았다.

"그러네요…… 지식의 정령 같은 게 있다면 싶지만……."

엘렌은 거기까지 말하다 떠올렸다. 가까이에 있지 않은가.

"애슈트가 있어요!"

정령 마법사로 반크라이프트에서 치료사 일을 하고 있는 휴. 사우벨과 다시 재혼한 리리아나의 외아들로, 이번에 경사스럽게도 사우벨의 의붓아들이 되었다.

모두가 한자리에 모였을 때, 엘렌은 라필리아가 휴을 조금 어려워한다는 것을 깨달았다.

재혼으로 휴이 라필리아의 오빠가 된다는 말을 들은 순간 「오빠라고 부르지 않을 거야!」라며 얼굴을 붉히고 소리쳤던 것은 절로 미소가 지어지는 추억이라 여기고 있었다.

그때 휴이 라필리아에게 「오빠가 아니라, 의붓 오라버니라고 불러야 하는 거 아냐? 일단 귀족이니까」 하고 싱글싱글 웃으며 말한 것을 보면, 휴도 상당한 성격의 소유자다.

의붓형제이기는 하지만, 엘렌에게도 휴은 사촌이 된다.

그런 휴이 계약한 작은 흰 토끼 애슈트는 지혜의 정령이었다. 그에게 물어보면 뭔가 알 수 있을지도 모른다.

"내일 반크라이프트에 얼굴을 비추고 협력을 구해볼게요. 어쩌면 뭔가 알 수 있을지도 몰라요."

"지혜의 정령과 계약에 성공한 인간이 있는 거야? 별일인걸."

리히토의 반응에 오히려 엘렌이 놀랐다.

"드문 일인가요?"

"일단 정령성에도 있지만, 지혜의 정령은 찾는 것만으로도 고생이거든. 평소에는 굴에 숨어 있고, 바로 어딘가로 가버려."

"네? ……네?"

애슈트의 이미지와는 상당히 거리가 먼 모습에 엘렌은 당황했다. 아무래도 지식에 관해 상당히 탐욕스러운 모양이었다.

금세 정보 수집을 하러 가버리기 때문에, 그 지식 덕을 보려고 해도 좀처럼 잡히지를 않는다고 한다.

"그 꼬맹이가 그렇게 드문 정령일 리 없습니다!"

흥흥! 하고 거친 숨을 내쉬는 반을 보며 아우스톨이 뭔가를 알아챈 듯 히죽거렸다.

"뭐야? 꼬마가 건방지게 대항심이야?"

"그 꼬맹이 녀석은 터무니없게도, 저보다도 복슬복슬하다고 지껄인단 말입니다!"

반은 애슈트를 떠올리고 다시 화가 났는지, 그의 털이 삐죽 솟구쳤다.

"반 군도 복슬복슬하지만, 애슈트는 보들보들해서 기분이 좋아요!"

엘렌은 애슈트의 부드러운 털 결을 떠올렸는지 황홀한 표정을 지었다. 만났을 때 잠깐이라도 만지게 해줬으면 좋겠다고 생각하는 것이 그대로 얼굴에 드러난 모양이었다.

"공주니임—! 그건 바람입니다—!"

반의 눈에 글썽하고 눈물이 고였다.

"뭐야. 털 결에 대항심이라니."

아우스톨이 어이없어하며 말했다. 그보다도 전투 기술을 갈고닦으라는 주문까지 했다.

"공주님의 복슬복슬 첫 번째는 저입니다! 그걸 위해서 노력을 아끼지 않을 겁니다! 그 꼬맹이 녀석 따위는 제 적수가 못 됩니다!!"

"시끄러워 시끄러워."

그런 반과 아우스톨을 내버려 두고, 리히토는 엘렌에게 말했다.

"더 이상 일이 커지기 전에, 그럼 그 지혜의 정령에게 부탁해볼까?"

"네. 내일 반크라이프트에 가서 물어보고 올게요."

"이쪽도 정령성에 있는 지혜의 정령을 찾으면 물어볼게. 우리만으로는 인간의 습관은 알 수 없으니까. 몬스터 템페스트가 일어났던 곳의 기록도 모조리 조사할게."

그렇다면 텐바르의 역사도 적잖이 도움이 될지도 모른다는 생각이 들었다.

"텐바르국은 몬스터 템페스트를 두 번이나 겪었으니까, 기록이 남아 있을 거예요. 저도 내일 조사해보겠습니다."

"알았어. 그럼 내일은 일단 조사를 하기로 하고, 그만 정령성으로 돌아갈까?"

"네!"

수수께끼는 여전히 남은 채였지만, 다음 실마리가 생긴 것에 엘렌은 안심했다.

제45화 탄자나이트의 일화

오늘은 오후에 반과 함께 반크라이프트로 향한다.

어제 저녁엔 반에게 부탁해 방문을 미리 알리고, 흄과 할 이야기가 있으니 시간을 내 달라고도 전했다.

승낙을 받기는 했지만, 가디엘이 엘렌과 만나고 싶어 한다는 이야기도 함께 전달받았다.

'그림 도구 이야기일까? 정기 연락?'

엘렌은 반크라이프트에서 새 사업을 이제 막 시작한 참이다. 거기에 가디엘이 지원의 뜻을 밝혔고, 일부를 공동 사업으로 전개하게 되었다.

가디엘이 찾아올 때면 언제나 만나고 싶다는 연락을 받지만, 저주 문제도 있어서 대부분 로벨이 대응했다.

어제 조사를 보고한 다음 반크라이프트로 가겠다고 말하자 로벨은 함께 가고 싶어 했다. 그러나 오리진의 상태가 여전히 회복되지 않았기 때문에, 신중을 기해 함께 있어주길 부탁했다.

반 일행이 있다고는 하나, 로벨이 없는 곳에서 가디엘과 만나는 것은 몰래 만나러 갔을 때 이후 처음인지도 모른다.

'어머니, 괜찮으실까……?'

오리진은 나른함과 졸음이 번갈아 찾아오는 모양이었다. 클리렌과 레벤이 대기하고 있지만, 다른 정령들도 걱정하고 있다.

오리진이 아팠던 적은 단 한 번도 없었다고 로벨이 말했던 만큼, 주변 이들은 처음 겪는 일에 몹시 당황했다.

나른함 때문에 기운은 그다지 없지만, 옆에 로벨이 있으면 안심이 되는지 로벨에게 딱 붙어서 떨어지지 않는다. 마음이 약해져 사람이 그리워진 것이리라.

엘렌의 약은 인간용이라 여신인 오리진에게 효과가 있을지 알 수 없었다. 정령에 관한 일은 정령에게 맡겨야 한다고 생각하기는 했지만, 아무것도 할 수 없는 상황이 답답했다.

'어머니 일은 아버지와 모두에게 맡기자. 지금은 해야 할 일을 하는 거야.'

언제나 옆에 있던 로벨이 없다는 것은 아주 조금 쓸쓸하기도 했지만, 언제나 자식한테서 벗어나라고 재촉했던 자신이 먼저 부모에게서 벗어나야만 한다며 엘렌은 기합을 넣었다.

*

짐승 모습인 반과 함께 반크라이프트가의 현관홀로 전이했다. 그러자 그곳에서 기다리고 있던 로렌과 카이, 그리고 메이드 여럿이 고개를 숙였다.

"기다리고 있었습니다, 엘렌 님."

"여러분, 안녕하세요!"

엘렌의 인사에 모두가 상냥하게 대답해주었다. 로렌이 한 걸음 앞으로 나와서 예정을 전해주었다.

"엘렌 님, 전하께서 곧 방문할 예정이십니다만, 어떻게 하시겠습니까?"

"전하가 오실 때까지 흄 군과 이야기를 하고 싶어요."

"알았습니다. 흄 님은 아직 치료원에 가지 않으셨으니 응접실로 모시겠습니다."

로렌이 부드럽게 뺨을 누그러뜨리며 고개를 숙였다.

"부탁드릴게요. 숙부님은 일하는 중이신가요?"

"네. 나리는 텐바르 성에, 라필리아 님은 훈련장에 가셨습니다."

"그런가요……."

점심시간이었던지라 식사를 하러 돌아온 라필리아와 만날 수 있지 않을까 생각했었는데, 오늘은 저녁때까지 훈련장에서 머문다고 한다.

인사 정도는 하고 싶었다는 생각을 하고 있자, 로렌이 눈치 빠르게 말을 건넸다.

"저녁때는 돌아오실 테니, 함께 저녁 식사를 하시는 건 어떨까요?"

"음~ 매력적인 제안이지만, 어머니의 몸 상태도 있고, 서둘러 돌아가지 않으면 아버지도 걱정하실 테니까 오늘은 바로 돌아가겠습니다."

"그러시군요."

근심하는 모습의 로렌을 보고 엘렌은 조금 당황했다.

"어머니의 몸 상태가 회복되면 꼭 함께 식사를 하게 해주세요."

"라필리아 님께 그리 전해드리겠습니다."

그런 대화를 나누면서 응접실로 이동하자, 메이드가 흄을 데리고 왔다.

테이블을 사이에 두고 마주 앉은 흄이 부드럽게 웃었다. 이전의 흄에게서는 상상도 할 수 없을 만큼 부드러운 미소였다.

하루하루의 생활이 충실한 것이리라. 매우 생기 넘쳐 보였다.

"그래, 오늘은 무슨 일이지? 공주님."

"안녕하세요, 흄 군. 조금 부탁할 게 있어서 왔습니다."

"어머님의 몸 상태가 안 좋다고 들었어. 그 일이야?"

"아뇨, 실은 애슈트를 불러주셨으면 해요."

"애슈트?"

엘렌에게서 나온 예상외의 이름에 흄은 놀랐다.

"네. 지혜의 정령의 힘을 빌릴 수 없을까 해서요."

"목적은 애슈트였던 건가."

"죄송해요. 어쩌면 종일 애슈트를 빌려야 할지도 몰라서, 흄 군에게 허락을 받으러 왔어요."

"어라? 그거 뭔가 거창한걸. …애슈트, 이리 와!"

흄이 부르자 뿅 하고 공중에서 작고 하얀 토끼가 나타나 흄의 손 안에 척 올라섰다.

엘렌한테는 등을 돌린 자세로 소환된지라 엘렌의 존재는 눈치채지 못한 듯했다.

『뀨? 휴, 왜 불렀어?』

두 다리로 서서 코를 찡긋거리며 고개를 갸우뚱 기울이는 애슈트.

"공주님이 애슈트에게 용건이 있대."

흄이 엘렌 쪽으로 시선을 보내자, 애슈트가 소리쳤다.

『앗! 공쥬니임~!』

흄의 손안에서 애슈트가 단숨에 도약했다. 뾰옹~하고 테이블을 넘는 도약력에 놀라면서 엘렌은 양손으로 애슈트를 받았다.

"애슈트, 오랜만이에요!"

『뀨! 뀨!』

"후후후, 오늘도 보들보들하네요!"

『애슈 있지, 보들보들해. 흄도 애슈 보들보들 좋아해.』

"이해해요. 보들보들은 참을 수 없죠!"

엘렌이 애슈트의 등에서 꼬리 부분을 쓰다듬자 엘렌의 뒤쪽에서 으르르릉…… 하고 낮은 위협음이 들려왔다.

"이 꼬맹이 놈! 공주님의 첫 번째 복슬복슬은 나다!!"

『메롱—! 애슈, 꼬맹이 아닌데! 꼬마는 넌데!』

"이 자식, 뭐라?!"

싸움을 시작한 둘을 말리기 위해 엘렌이 소리쳤다.

"반 군!"

엘렌이 일갈하자 바짝 섰던 반의 털이 힘없이 축 늘어졌다.

『공쥬님한테 혼났대!』

"크으으으……."

"반 군, 그러면 안 돼."

엘렌은 등 뒤에 서있는 반을 보며 화를 내고 있어 손에 든 애슈트의 모습을 보지 못했다. 그걸 기회 삼아 애슈트는 반을 향해서 놀리듯이 흣 하고 콧김을 내쉬었다.

"이 노옴—!"

"반 군! 카이 군, 반 군을 밖으로."

"알겠습니다."

"앗, 네 녀석까지?! 어이 이봐 무슨 짓이냐 그만둬!"

카이는 반의 귀를 잡아당기더니 그 귀에 입을 가까이 가져가 무언가 소곤소곤 이야기했다.

그러자 반은 추우욱~ 어깨를 늘어뜨리고 터덜터덜 복도 쪽으로 향했다.

"조금 동정하게 되는걸. 그나저나 너희는 변함없이 재밌네."

큭큭큭 어깨를 흔들며 웃고 있는 흄에게 엘렌은 면목 없는 마음이 들었다.

"죄송해요."

"아니, 괜찮아. 이쪽이야말로, 우리 애슈트가 실례했어. 공주님을 뺏겨서 대정령님이 화났잖아."

"정말~."

반에게는 나중에 제대로 한마디 해두어야겠다며 엘렌은 작은 한숨을 내쉬었다. 카이가 돌아와 복도에 세워두었다고 보고하는데, 문 너머에서 부욱부욱 하고 문을 발톱으로 긁는 소리가 들려왔다.

『공주님~ 공주님~ 저도 들어가게 해주십시오……!』

문 너머에서 반의 풀 죽은 목소리가 들렸다. 카이가 서둘러 복도 쪽으로 나가 「발톱으로 긁지 마!」 라며 반과 말다툼을 했다.

"이야기가 끊겨서 죄송해요. 용건을 전하겠습니다."

"공주님도 고생이 많네. 시작해."

"실은……."

엘렌은 대략적인 상황을 설명했다. 사방이 온통 막혀버린 터라 애슈트의 지혜를 빌리고 싶다며 고개를 숙였다.

애슈트는 흄의 무릎 위로 돌아가서 두 다리로 선 채 엘렌의 이야기를 듣고 있었다.

"애슈, 힘을 빌려줄 수 있을 것 같아?"

『공쥬님! 애슈는 그 유적, 아마도 알아!』

"정말인가요?!"

지혜의 정령은 온 세상에 있고, 세상의 여러 기록을 남기며, 정령계로 가지고 돌아와 보관하고 있다고 한다.

그 기록도 지혜의 정령 일족만 볼 수 있는지, 정령계와 섬을 오가면 조사할 수 있을 거라고 말했다.

"정령성에서도 지혜의 정령에게 부탁을 하는 건 어렵다고 들었어요. 큰 도움이 될 거예요!"

"그런 거야?"

계약자인 흄으로서는 아닌 밤중에 홍두깨 같은 이야기이리라.

"정령성에서도 지혜의 정령은 그 모습을 보는 것조차 드문 일이라고 해요……. 오히려 계약한 인간이 있느냐며 다들 놀랐어요."

"뭐……?"

『애슈 있지, 보기 드물어! 일족 중에서 사람과 계약한 건, 애슈가 처음이야.』

"그런 거야?!"

『응!』

흄 본인도 몰랐었나 보다. 특별하다고 여겨진 것이 기뻤는지 흄은 조금 쑥스러워하면서 애슈트에게 미소 지어주었다.

"그건…… 기쁜걸. 고마워.』

『천만에! 애슈는 흄을 정말 좋아하니까.』

"나도 애슈가 정말 좋아."

『둘이 똑같네!』

흄은 애슈트를 들어 올려서 뺨으로 가져갔다. 둘은 부비부비하며 서로의 마음을 확인했다.

서로를 아끼는 둘의 모습에 덩달아 흐뭇해진 엘렌도 생글생글 웃는 얼굴이 되었다.

엘렌도 반과 자주 이마를 콩 맞대기 때문에 그 마음을 잘 알았다.

그 후, 내일 애슈트를 데리러 오겠다고 약속한 엘렌이 방에서 나와 보니 귀와 꼬리를 축 늘어뜨린 반이 어둡고 무거운 분위기를 두르고 있었다.

"고, 공주님……."

“정말~ 반 군. 애슈트의 협력이 필요한 때 화나게 하는 짓은 하지 말아야지.”

“우으…… 죄송합니다…….”

풀이 죽은 반의 귀와 꼬리가 힘없이 늘어졌다. 엘렌은 그럴 만한 일인가? 하고 생각했지만, 이렇게나 반이 화를 내는 것을 보면 그만큼 반에게는 양보할 수 없는 부분인가 보다 싶기도 했다.

“반 군은 내 첫 번째 복슬복슬이야. 그러니까 경쟁할 필요 같은 건 없어.”

“……정말입니까?”

“물론이죠!”

단언한 엘렌을 보는 반의 눈이 촉촉해졌다.

“고, 공쥬니임……!”

“애슈트 흉내를 내는 거야? 귀여운걸.”

“아닙니다~!”

반이 소리치며 엘렌에게 머리를 부비자, 엘렌도 반의 목덜미를 끌어안았다.

“화해한 거지?”

“예.”

이마를 콩 맞대고서 화해의 인사를 하자, 반의 태도에 어이없어 하던 카이가 고자질을 했다.

“이 녀석, 사사건건 애슈트와 경쟁합니다.”

“그랬어?”

"그렇습니다."

"우으…… 우으으……."

아무래도 정곡을 찔렸나 보다.

"반 군, 경쟁을 하려고 한다는 건 말이지."

"무, 무슨 말씀을 하시려는 겁니까……?"

"상대방을, 적어도 인정하고 있다는 증거야."

엘렌의 말에 반과 카이가 「헉?!」 하고 동시에 소리를 질렀다. 어째선지 카이마저 충격을 받고 있었다.

"그게, 힘의 차이가 분명하면 신경 쓰이지도 않는걸. 신경을 쓴다는 건 말이지, 마음 한편으로 인정하고 있다는 뜻이야. 자신이 위에 있다고 과시하려고 드는 건, 상대와 자신의 위치가 같다는 걸 깨닫고 불안해졌기 때문이니까. 서열을 매겨서 안심하고 싶어지는 거지."

그것은 아마도 살아남기 위한 본능인 것이리라. 하지만 지금은 협력을 구해야만 하는 처지였다.

"그, 그러한 겁니까……."

"내 복슬복슬은 반 군이 제일이니까, 당당하게 행동해줘. 싸움은 떽! 이야."

"네, 네! 잘못했습니다."

엘렌이 비비적비비적하며 반의 털에 파묻혀 있는 사이 점점 기분이 풀렸는지 반의 상태가 원래대로 들어왔다.

"엘렌 님, 이제 곧 그 녀석이 옵니다만, 어쩌시겠습니까?"

"그 녀석?"

"가디엘 전하입니다."

태연한 카이의 태도에 엘렌은 조금 기가 막혔다.

반도 그렇고 카이도 그렇고, 이런 부분은 정말로 똑 닮았다고 본다.

"전하를 그 녀석이라고 부르는 건 안 돼요. 거리를 두고서 만날게요."

"……저도 동석해도 괜찮겠습니까?"

"네!"

엘렌의 대답에 카이는 어딘가 안심한 듯했다.

"저도, 함께 가겠습니다!"

"다 같이 만나기로 해요."

엘렌의 답에 카이와 반은 고개를 끄덕였다.

*

엘렌 일행은 치료원으로 가는 흄과 리리아나를 배웅하고, 가디엘이 올 때까지 응접실에서 여유로운 시간을 보냈다.

빈 시간에 로렌, 메이드들과 함께 새로운 과자 개발에 몰두하기로 했다.

실은 과자를 아주 좋아하게 된 오리진의 협력하에, 엘렌의 지시로 부족한 재료를 만들어낸다고 하는 막무가내에 가까운 짓을 해버리고 만 것이다.

반크라이프트의 기후에서는 재배하기 어려운 바닐라와 카카오는 현재 정령계에 심어 키우고 있다. 식물을 관장하는 프랑과 오푸스트가 중심이 되어 과자 재료를 재배 중이다.

유통은 무리지만, 지금은 반크라이프트가의 요리장에게만 맡겨진 식재로서 취급되었다.

반크라이프트의 요리사들은 레서피 정보 누출을 막기 위해 왕궁의 요리장보다도 좋은 대우를 받는다는 소문이 돌고 있다고 한다.

엘렌이 제안하는 레서피는 두루뭉술한 것이었다. 그것을 메이드가 종이에 받아 적고, 요리장들이 매일 형태를 갖춰갈 수 있도록 분투하고 있다.

반크라이프트에서는 오리진과 대정령에게 바치기 전에 시식이 가능하게 되어 있기 때문인지 엘렌이 찾아오면 「새 레서피는 없습니까?」 하고 모두에게 질문받게 되었다.

레서피 제안과 동시에, 엘렌은 자신의 힘으로 케이크 틀을 만들어 건넸다.

"카눌레라는 건 어떨까요? 우유에 설탕과 버터와 바닐라 에센스를 넣고 끓였다가 식히고, 별도로 달걀과 밀가루를 섞은 반죽에 넣어서 섞은 다음 하룻밤 재우고 굽는다⋯⋯ 같은?"

지나치게 구체적으로 말하고 말았다. 하지만 재료의 분량은 모른다. 「그런 이미지!」 라고 얼버무리면서도 힘을 써서 카눌레 모양을 스무 개 만들었다. 그것을 앞에 있는 메이드에게 건네자 메이드가 감격했다.

"아, 럼주도 생지 마지막에 더하면 어른 취향에 향이 좋을지도……예요! 구우면 주변은 제법 까매지지만, 안은 촉촉하고 쫀득하게 완성될 거라고 생각해요!"

"엘렌 님, 훌륭하세요. 요리장에게 전하고 오겠습니다!"

사명감으로 불타오르는 메이드를 배웅한 다음은 오늘의 간식을 받았다. 로렌이 끓여준 홍차와 촉촉한 파운드케이크였다. 레몬 필이 들어가 있어서 향기가 아주 좋았다. 조금 더 있으면 롤케이크 생지가 다 구워진다는 보고를 받았다.

"엘렌 님 덕분에 저희 집안의 레서피는 여신의 레서피라고 불리고 있답니다."

"앗…… 할아범, 그거 정말인가요?"

"정말이고말고요."

로렌이 하하핫 하고 웃자 엘렌은 어쩐지 조금 부끄러워졌다.

'친구가 만드는 걸 옆에서 지켜보며 맛보는 담당이었다고는 말 못 해…….'

전생 전의 엘렌 주변에는 할머니를 필두로 하여 요리를 좋아하는 사람이 많았다. 맛있게 먹어준다며 음식을 자주 받았었다.

그중에서도 카눌레처럼, 연구 중에 틈틈이 간단하게 먹을 수 있는 과자류가 많았다. 계산에 지친 머리가 당분을 원했던지, 맛있다며 계속 손이 갔던 것을 기억하고 있다.

대략적인 제조법은 옆에서 보다 보면 기억할 수 있지만, 원래 연구자 기질인 탓에 요리를 과학적으로 생각하고 마는 면이 있었다.

엘렌이 조리를 하면 도중에 이렇게 하면 저렇게 되지 않을까 하며 옆길로 새곤 하는 것이다.

'나, 예나 지금이나 달라진 게 없는 거 아냐……?!'

성장하지 못했단 것을 자각한 엘렌은 살짝 충격을 받았다. 요즘은 요리를 좋아하는 라필리아가 요리장과 분투해 만든 과자 등을 자주 간식으로 받게 되었다.

함께 만들자고 말해도, 어느샌가 엘렌은 맛보기 담당이 되어 있었다.

맛있게 먹어주는 게 기쁘다며 웃는 얼굴로 말해주면, 그만 생글생글 웃으며 먹게 되고 마는 것이다.

과자 외에는 로렌에게 차이 만드는 법을 가르쳐준 적이 있었다. 당시에 로렌은 몹시 감동했다. 들어보니 우유에 직접 찻잎을 넣어서 끓인다고 하는 발상이 없었다고 한다.

지금은 여성을 중심으로 해서 밤에 마시는 음료로 자리 잡았다고 한다.

'옆에서 보기만 해서 대략적인 만드는 법을 어렴풋이 기억하는 정도니까, 적정량 같은 건 전혀 모르는데…… 재현해내는 요리장들은 정말 대단해.'

자신이 할 수 없는 일이기에, 타인이 해냈다는 걸 알면 엘렌은 순수하게 감동한다.

엘렌의 레서피는 요리장들이 매일 시행착오를 겪어가며 제작하고 있다.

아빠는 영웅, 엄마는 정령, 딸인 나는 전생자. 6
© Matsuura, keepout 2020 / KADOKAWA CORPORATION
[NOT FOR SALE]

NOVEL

레서피가 완성되면 확인을 위해 엘렌이 시식하는 것이 일상이 되었는데, 엘렌이 감동해주는 모습에 요리장들이 더욱 노력하고 있다는 사실을 그녀는 알지 못했다.

*

과자 이야기로 흥이 올랐을 때, 메이드가 가디엘의 방문을 알려왔고 로렌이 맞으러 갔다.

엘렌도 함께 가려 했지만, 로렌에게 여기서 기다려달라고 제지당했다.

"엘렌 님은 전하에게 함부로 접근하시면 안 됩니다. 마중은 괜찮다고 전하도 말씀하셨습니다."

"알았어요."

예전에는 어떻게든 가까이 오려 했던 가디엘을 떠올리고 엘렌은 조금 놀랐다. 학원에 머물던 당시, 엘렌이 쓰러졌을 때 병문안 물품이 도착한 것을 보고 그가 학원에 있다는 것은 알았다. 그러고 보니 한 번도 그의 모습을 보지 못했다는 데 새삼 생각이 미쳤다.

'틀림없이 아버지가 문전박대를 한 거라고만 여겼었는데…… 어쩌면 그때부터 마음을 써줬던 걸까?'

펠페드 때도 제대로 거리를 두어주었다.

약속을 지켜 이야기하겠다고 정한 것은 엘렌 자신이었지만, 과연 제대로 가디엘을 보았던 적이 있었을까?

'나, 이야기를 듣겠다고 말해놓고…… 제대로 이야기하지 못한 것 같아.'

펠페드에 가기 전에 잠시 세상 돌아가는 이야기를 나눈 기억은 있지만, 그 후에는 이런저런 일이 있어서 그럴 여유는 거의 없었다.

새 계약을 맺었을 때도, 사업적인 이야기밖에 하지 않았다. 그 후에도 엘렌과의 사이에 로벨이 껴 있었던지라 그다지 이야기를 하지 못했다.

'오늘은…… 조금 이야기할 수 있으려나?'

그런 생각을 하면서 가디엘이 오는 것을 기다렸다.

로렌에게 안내를 받아 온 가디엘의 뒤에는 종자인 라베가 따르고 있었다. 언제나 함께 다니던 다른 두 사람은 보이지 않았다. 밖에서 대기하고 있는 것일까? 아니면 행동을 따로 하고 있는 것일까?

"전하, 오랜만입니다."

"엘렌, 오랜만이야. 보고 싶었어."

치맛자락을 잡고 인사하며 맞이하는 엘렌을 본 가디엘이 기쁜 미소를 지으며 그렇게 말했다.

보고 싶었다는 말에 엘렌은 곤란해졌다. 저주받은 상대를 만나고 싶다고 생각할 만한 용건도 딱히 없었기 때문이다.

'의례적인 말인 거겠지?'

"저기…… 저도, 그렇습니다?"

이런 때에는 연기로라도 미소를 띠고서 응답해야 한다는 것은 알고 있다. 그러나 엘렌의 말투는 국어책 읽기가 되어버렸다.

"푸훗."

"……라베."

복잡한 표정을 한 가디엘이 라베의 태도를 나무랐다.

"죄송…… 후후. 오랜만에 뵙습니다. 엘렌 님."

"오랜만입니다. 언제나 아버지가 대응하셨는데, 오늘은 저뿐이라 죄송합니다."

"무슨 말씀을! 오늘은 엘렌 님이 오신다는 걸 안 전하가 잔뜩 들떠서…… 아얏!"

"쓸데없는 소리 하지 마라."

멋쩍어하면서 가디엘은 라베의 정강이를 찼다. 아파하며 몸무림치는 라베를 내버려 둔 채 로렌이 권하는 대로 엘렌과 가장 멀리 떨어진 소파에 가디엘이 앉았다.

그것을 본 엘렌도 소파에 앉았다. 울상이 된 라베가 쓴웃음을 지으며 가디엘의 뒤에 섰다.

로렌이 차를 끓이는 모습을 곁눈질하며 가디엘이 입을 열었다.

"로벨 님이 안 계시다니 별일인걸."

"어머니의 몸 상태가 좋지 않으셔서요. 지금은 신중을 기하기 위해 아버지가 곁에 계십니다."

예상하지 못한 엘렌의 대답에 가디엘이 어쩔 줄을 몰라 했다.

"그…… 엘렌의 어머님은…… 그, 여신이시잖아?"

"네."

"여신도 몸 상태가 나빠지는구나…… 헉! 아니, 미안!"

혼자서 납득하고 혼자서 사과했다. 정신없는 가디엘의 모습에 엘렌은 무심코 웃고 말았다.

"후후후. 저희도 몸 상태가 안 좋은 날은 있답니다."

"나는 무슨 당연한 소리를 한 건지…… 정말로 미안해. 학원에 왔던 엘렌도 쓰러졌었다고 들었어. 이제 괜찮은 거야?"

"그거, 1년도 전 이야기잖아요?"

"그랬지……."

고개를 푹 숙이는 가디엘을 보며 엘렌은 당황했다. 가디엘이 무슨 말을 하고 싶은 것인지 알 수 없었다.

'대체 무슨 일이지?'

사업 이야기를 꺼내려나 싶었는데, 마치 잡담을 나누기 위해 열심히 화제를 찾는 것처럼 보였다.

가디엘의 등 뒤에 선 라베가 어깨를 떨며 웃음을 참는 것을 시야에 담으며 가디엘을 보니, 고개를 숙인 그의 귀가 새빨개져 있었다. 그걸 본 엘렌은 고개를 갸우뚱했다.

'열이라도 있는 걸까?'

"전하도 몸 상태가 안 좋으신가요? 얼굴이 빨간데요."

"어?! 나 말이야?! 나, 나는 괜찮아!"

"아, 앗, 네……."

몹시 당황한 가디엘의 반응에 놀라면서도 엘렌은 대꾸를 했다.

가디엘의 등 뒤에서 「크흡」 하고 숨죽인 웃음소리가 들려왔다. 아무래도 가디엘의 귀에도 들렸는지, 그는 홱 고개를 돌리고 라베를 노려봤다.

그런 한편 엘렌의 등 뒤에 대기하고 있던 카이와 반은 차가운 눈을 하고서 가디엘 일행을 노려보고 있었지만, 엘렌은 알아채지 못했다.

그런 모습을 태연하게 관망하며 테이블에 롤케이크를 내려놓는 로렌. 라베는 곧바로 기미를 하더니 감상을 말했다.

"맛있습니다!"

"고맙습니다. 요리장에게 전해두겠습니다."

"정말이지~ 부럽습니다. 반크라이프트가에 오면 여신의 과자를 맛본다며 선망의 시선을 받곤 합니다."

"하하핫."

노골적인 칭찬에 로렌은 기분이 좋은 모양이었다. 그 말을 들은 엘렌은 조금 부끄러워졌다.

'정말로 여신의 과자라고 불리고 있구나…….'

여신에게 헌상하고 있는 것은 사실이니 틀린 말은 아니지만, 어쩐지 안절부절못하게 되었다.

"라베, 전부 먹을 생각 마."

"네에~? 괜찮잖아요."

"너는 정말 기미를 하고 있는 것이냐……?"

가디엘의 어이없어하는 모습과 라베의 장난스러운 모습에 엘렌은 눈을 깜빡였다.

"사이가 좋으시네요."

"응? 아아, 라베 말이야? 일단, 젖형제니까."

"정확하게 말하자면 제 동생 쪽이 전하와 젖형제입니다만, 동생은 라스엘 님을 모시고 있습니다. 뭐, 전하도 대충 동생 비슷한 셈이지요."

"나는 대충인 셈 쳐지고 있는 건가……."

라베의 설렁설렁한 태도에 가디엘이 먼눈을 했다.

"그렇군요."

텐바르의 귀족이라면 당연히 알고 있을 일도 엘렌은 몰랐다. 철저하게 관여하지 않도록 로벨에게 배려받은 결과였다.

"전하에 관해 궁금한 게 있다면 뭐든 답해드리겠습니다!"

때는 지금이라는 듯이 라베가 비밀을 팔아넘기려 했다. 그 옆에서 「멍청아, 잠깐, 그만……」 하고 횡설수설하는 가디엘을 무시한 채 엘렌은 진지하게 으음~ 하고 생각에 잠겼다.

"그럼, 몸에 안 받는 음식 같은 게 있나요?"

엘렌의 말에 가디엘과 라베가 서로 얼굴을 마주 보았다. 엘렌이 한 말의 의미를 헤아릴 수 없는 모양이었다.

"……그러니까~, 그건 전하께서 싫어하는 것이어도 괜찮을까요? 피망입니다. 그 외에는 어릴 때 생선 가시가 목에 걸렸던 후로 언제나 생선 요리가 나오면 경계하십니다."

"그건 옛날 이야기잖아! 지금은 잘 먹는다고! 펴, 편식은 하지 않고 있다고 보는데!"

"그렇게 말씀하시지만, 식탁에 차려지면 언제나 찡그린 얼굴을 하시는 걸 알고 있거든요?"

"크읏……!"

엘렌에게 편식을 폭로당한 가디엘의 얼굴이 붉어졌다. 그런 흐뭇한 에피소드를 알고 싶었던 것은 아니었던지라, 엘렌은 자세하게 설명했다.

"저기, 그런 게 아니라…… 먹으면 가려워진다든가, 숨쉬기 힘들어진다든가 하는 건 없나요?"

"음? 그건 독입니까?!"

"독이 아니라, 거부 반응이라고 하는데요…… 먹으면 어째선지 다른 사람은 괜찮은데 배탈이 난다든가 하는 건 없나요?"

"으음~ 아, 우유가 요즘 별로라고 말씀하셨습니다."

"우유는 폐하도 그렇다고……."

우유를 마시면 배탈이 난다. 엘렌은 그 뱃속 시커먼 폐하가 배를 잡고 괴로워하는 모습을 상상하고, 무심코 애처로운 표정을 지었다.

'예상외! 하지만, 그건 괴롭지…….'

엘렌의 아련한 시선을 눈치챈 가디엘은 난처해했다.

"……그다지 알려지지 않는 편이 좋다고는 생각하지만, 이것만큼은 어쩔 수가 없어. 체질인 걸까?"

"그것 유당불내증이겠네요. 과자는 많이 먹지 않는 편이 좋을지도 모르겠습니다."

"뭐, 뭐라고?!"

여신의 과자를 먹을 수 없다는 사실에 가디엘이 충격을 받았다. 라베는 탄식하며 불쌍해하는 시선을 가디엘에게 보냈다.

"예를 들면, 이 롤케이크 가운데 있는 하얀 크림은 우유로 만들었거든요. 이걸 많이 먹으면 배가 꾸르륵거리게 되죠."

"그런 겁니까?!"

라베가 감탄했다.

"엘렌 님, 그 유…… 뭐였죠?"

"유당불내증. 우유 안에 있는 당분을 분해하는 락타아제라는 효소가 부족해서 일어나는 현상인데, 이건 누구든 나이를 먹으면서 그렇게 되어간답니다. 반대로 내성이 있는 분을 락타아제 활성 지속증이라고 하고요."

"엘렌은 박식하군……."

"배탈이 나시면 큰일이니까, 전하의 간식은 전부 제가 먹겠습니다!"

"다 먹지 마! 나도 조금은 먹을 수 있을 거다!"

감탄하는 가디엘을 무시한 채, 라베는 그를 화나게 했다.

그런 그들의 스스럼없는 대화에 엘렌은 더는 참을 수 없다는 듯이 웃고 말았다.

"죄, 죄송해요…… 후후."

"엘렌한테 웃음을 사고 말았잖아!"

"전하가 과자에 집착하니까 그런 거 아닙니까!"

"그건 너잖아?!"

"후훗."

왕족이 참석하는 식사 자리 등을 준비할 때는 이러이러한 식재료는 피하라고 하는 통지가 내려온다. 하지만 몸 상태가 안 좋아지는 등, 그 명확한 이유를 아는 것은 왕궁에서 근무하는 요리사 중에서도 거의 일부뿐이었다.

그러나 관계가 단단하고, 앞으로 오랫동안 교류할 자에게 가르쳐주는 것은 당연한 일이었다. 그것을 물어봐 준 엘렌에게 가디엘은 희미한 기대를 하지 않을 수 없었다.

"에, 엘렌. 내 취향을 물어봐 준 거지?"

"네? 그러네요."

"그, 그렇군!"

가디엘은 기뻐했지만, 엘렌에게 별다른 뜻이 있을 리 없었다. 엘렌으로서는 어째서 가디엘이 이토록 기뻐하는지 이해되지 않았다.

"이건 강적이로군요."

"……로벨 님이 하셨던 말씀의 의미를 절절하게 느끼고 있어."

로벨이 여기에 있었다면 「엘렌은 둔하거든요! 안 통합니다!」라고 틀림없이 말했으리라.

소곤소곤 이야기하는 두 사람을 무시한 채, 엘렌은 본론을 묻기로 했다.

"그런데, 오늘은 무슨 용건이신지?"

"아, 그래. 오늘은 왕도에서 사서를 세 명 데리고 왔어. 치료원에 소개하러 갈 거야."

"사서를 소개한다고요?"

그가 이야기하길, 치료원에 입원한 열 살 남자아이에게 기분 전환 삼아 크레용으로 그림을 그려보게 했더니 화가의 지시를 거의 듣지 않고도 순식간에 그리는 법을 깨우쳐버렸다고 한다.

그 그림은 상상에서 비롯된 그림이 아닌 정물화였는데, 상당히 정교하게 그려져 있었다.

"슈퍼리얼리즘?"

"슈퍼……? 엘렌은 정말로 뭐든 다 아는구나."

슈퍼리얼리즘— 극단적으로 극명한 묘사를 특징으로 하는 화법이다. 그러나 이것은 카메라가 보급된 후에 확립된 화법으로, 사진을 바탕으로 제작되는 경우가 많았다.

그림은 그 시대의 유행이라는 말이 있다. 대중에게 사랑받는 그림이 아니면 팔리지 않는다는 말을 듣는 중에, 그 남자아이는 무언가에 홀린 듯이 푹 빠져서 정교한 그림을 계속 그린다고 한다.

"그 아이의 그림을 보여줬더니 화가가 아닌 사서들이 달려들어서 말이지……."

"사전 등에 실을 그림을 부탁하고 싶은 걸까요?"

"용케도 알아챘는걸……."

가디엘과 라베가 눈을 크게 뜨며 놀랐다.

그림이라고 하면 유화가 당연했다. 화가는 귀족의 초상화와 종교화를 부탁받는 것이 대부분이다.

화가는 실력을 인정받아서 귀족에게 소개받아 성공하기까지가 일단 어려웠다.

그런 중에 엘렌은 크레용을 세상에 내놓았다. 유화가 주류인 캔버스는 돛천이다. 하지만 크레용이라면 판자에도 천에도, 심지어 양피지에도 그릴 수 있는 것이다.

그것을 사서가 원하리라고는 생각도 하지 못했던 가디엘이었지만, 새로운 길로 이어진다면 하는 가벼운 마음으로 소개를 한 것이다.

"솔직히, 그림을 그릴 수 있는 자가 나타나면 화가에게 소개하면 된다고 생각했어. 하지만 이미 왕도에는 화가가 넘쳐나고, 일은 그만큼 없잖아? 그림을 쓰는, 새로운 고용이 없을까 하고 모색했었어."

"고용……."

엘렌은 으음~ 하고 생각에 잠겼다. 이 인간계에서 그림이 어떠한 위치에 있는지 알지 못했던지라 몇 가지 질문을 했다.

"예를 들면 간판은 있지요?"

"간판?"

"글자를 그림처럼 디자인해서, 그림과 글자로 주목을 모으는 방법이라든가 그림 연극이라든가……."

"자, 잠깐, 잠깐! 라베, 기록해줘!"

"알았습니다!"

라베가 휴대용 종이와 펜과 잉크병을 꺼내서 내용을 적어갔다.

라베가 한바탕 쓰기를 마치자 가디엘이 몸을 내밀면서 엘렌에게 계속해달라고 재촉했다.

그 이후에도 「그림 연극이란 어떤 거지?」 같은 세세한 질문을 받아서 손짓 발짓을 해가며 설명했지만, 이해시키기가 어려웠다. 그래서 엘렌이 실연해 보였는데 국어책 읽기가 되는 바람에 가디엘이 웃음을 터뜨렸다.

예상외였던 것은, 이 세계에 그림책은 있지만 그걸 읽어주기 위한 그림 연극 같은 건 없다는 점이었다.

그림 연극은 교회를 중심으로, 고아원과 학교에서도 수요가 예상되리라는 것으로 이야기가 정리되었다.

엘렌의 의견은 화가에 그치지 않고, 점차 크레용의 편리성으로 옮겨갔다.

유화에 익숙해져 있던 화가는 새로운 크레용에 흥미진진해 했다. 유화의 밑그림에 쓰는 목탄처럼 이용하거나, 기름으로 물감을 갤 필요가 없다거나 하는 편리함에 놀랐기 때문이다.

"햇병아리 화가를 키우는 일도 중요하기는 하지만, 바로 반응을 얻을 수 있는 쪽이 토대 만들기에는 더 좋을 거라고 생각합니다."

"그 말인 즉슨?"

"크레용의 편리성 쪽을 먼저 알리는 겁니다."

그렇게 말하고 엘렌은 크레용의 설명을 시작했다.

"크레용의 재료 대부분은 밀랍입니다. 그렇다는 것은 크레용으로 그림을 그리고 다리미 등으로 데워 캔버스에 정착시킬 수도 있고, 그리기 전에 데워서 녹이면 물감처럼 쓸 수도 있다는 뜻입니다. 다만 이건 응용이 몹시 어려워서……."

"그런 것까지 가능한 건가?"

"네. 크레용은 의외로 여러 가지를 할 수 있습니다. 양초를 만들기 전, 녹인 밀랍에 깎은 크레용을 조금 섞으면 다양한 색의 양초를 만들 수 있습니다. 색을 넣은 밀랍을 점토 대신 조각으로 만들거나, 향료를 섞어서 향이 나는 양초라든가……."

엘렌은 차례차례 크레용을 이용한 상품의 발상을 늘어놓았다.

계속해서 나오는 안을 라베가 서둘러 기록했는데, 가지고 있는 종이에 다 적지 못해서 서둘러 로렌과 메이드가 저택에 있던 종이를 가져오는 사태가 일어났다.

*

"……이 정도일까요?"

엘렌이 한바탕 설명을 마치자 가디엘과 라베가 절절하게 말했다.

"최근의 고민이 단숨에 해결되어버린 듯한 느낌이야."

"두루 알리기까지 시간이 걸릴지도 모르겠습니다만…… 그야말로 간판 등을 통해 눈에 띄기 시작하면 순식간에 방법이 퍼지지 않을까요?"

모두 상당히 이야기에 열중하고 말았다. 예상보다 시간이 흘렀는지, 창을 통해 저녁해가 비쳐들었다.

그때, 가디엘의 브로치에 석양이 반사되어 엘렌의 눈을 직격해버렸다.

눈부심에 깜짝 놀라 반사적으로 고개를 숙이자, 바로 눈치챈 로렌이 서둘러 커튼을 쳐주었다.

"할아범, 고맙습니다."

"미리 눈치채지 못해서 죄송합니다. 눈은 괜찮으십니까?"

"괜찮아요."

생긋 엘렌이 웃자 로렌이 안심하며 가슴을 쓸어내렸다.

"엘렌, 미안해. 눈부셨지?"

"놀랐을 뿐이에요. 괜찮습니다."

문득 무엇에 반사된 것일까 하고 가디엘의 가슴께를 보자, 거기에는 푸른 돌이 있었다.

"브로치에 빛이 반사된 건가?"

가디엘도 자신의 가슴께를 들여다보고 있었다. 심지어 빼려고까지 하는지라 신경 쓰지 말라며 엘렌은 쓴웃음을 지었다.

그때 엘렌의 머릿속에 무언가 스치는 것이 있었다.

"푸른 돌……."

"왜 그러지? 여, 역시 뺄까?"

가디엘은 어찌할 바를 몰라 했다. 엘렌의 기분을 상하게 한 건 아닐까 불안한 모양이었다.

희미한 힘으로 엘렌은 가디엘의 브로치를 조사했고, 커다란 사파이어 브로치라는 것을 알아냈다. 그 크기로 보아 어마어마하게 비싼 물건이리라. 역시 왕족이라며 엘렌은 감탄했다.

"사파이어로군요."

"아, 응. 맞아. 파랑이니까."

"파랑이니까……? 보석에 관해 잘 아시나요?"

조금 신경이 쓰이는 그의 발언에, 엘렌이 물었다.

"일단, 뭐…… 배웠다고 할까, 알아야만 한다고 할까……."

가디엘이 모호하게 말했다. 왜 그러는 걸까? 싶어 엘렌이 고개를 갸웃거리자 가디엘이 이쪽을 빤히 바라보았다.

"엘렌은 보석을 좋아해?"

"보석이요? 으음~ 보석도 좋아하기는 하지만, 굳이 말하자면 원석을 좋아합니다."

"뭐?"

"네?"

엘렌의 말에 가디엘은 어안이 벙벙해졌다. 엘렌도 뭔가 이상한 말이라도 한 건가? 하는 표정으로 어리둥절해했다.

"저기…… 머리 장식이나 목걸이나 반지 같은 걸 말한 건데……."

"아아, 그렇군요. 이 머리 장식은 좋아한답니다!"

액세서리를 말하고 있다는 것을 눈치챈 엘렌은 곧바로 자신이 좋아하는 머리 장식을 자랑해보았다.

"엘렌의 눈동자랑 비슷해서 아주 잘 어울려. 해와 시간에 따라서 변하는 다채로운 하늘을 닮아 아주 예뻐. 그중에서도 보라색이 조금 강하군."

"고맙습니다. 미스틱 토파즈예요. 전하의 브로치도…… 눈동자색과 같네요."

어째서 푸른 돌인지 엘렌도 드디어 눈치챈 모양이었다. 아~ 그렇구나, 하는 표정을 한 엘렌의 모습에 가디엘의 얼굴이 순식간에 새빨개졌다.

"여성에게 선물을 해야 해서 잘 아시는 거로군요!"

"너무 직구잖아!!"

라베가 무심코 딴죽을 걸었다. 가디엘은 어째선지 어깨를 축 늘어뜨리고 있었다.

남성이 자신의 눈동자 색 보석을 보내는 것은, 말하자면 자신의 의중에 둔 상대라는 것을 본인을 포함해 다른 사람들에게 알리기 위한 것이기도 했다.

이러한 자리에서 귀족 여성은 은근슬쩍 그 색의 보석을 갖고 싶다고 하는 잔꾀를 부리는데, 엘렌은 무관심하고 태연했다. 「갖고 싶다」의 「ㄱ」도 생각하지 않고 있다는 것이 잘 보였다.

"엘렌은…… 보석이 갖고 싶지 않아?"

은근슬쩍 가디엘이 물욕을 자극해보았다.

"보석이요? 필요 없습니다."

"…………그렇구나."

엘렌의 단호한 대답에 등 뒤에 있던 카이가 무심코 살짝 어깨를 떨었다.

반은 의미를 몰라 어리둥절해했고, 로렌에 이르러서는 분명한 엘렌의 태도에 오히려 흐뭇함을 느꼈는지 온화한 표정을 짓고 있었다.

보석 같은 건 엘렌에게 걸리면 바로 만들어낼 수 있는 물건이니 어쩔 수 없는 일이지만, 가디엘 일행은 그 사실을 모르니 무리도 아니었다.

“참으로 만만치 않네…….”

라베는 무심코 그렇게 중얼거리고 말았다.

“그렇지, 전하. 보석에 대해 잘 아신다면 질문 하나 드려도 괜찮을까요?”

“응? 어떤 거지?”

엘렌의 질문에 어쩐지 기뻐하며 대답을 하는 가디엘. 어째서 그렇게 몸을 내밀며 적극적으로 반응하는 것인지 엘렌은 이해가 안 되었지만, 그대로 이야기를 계속했다.

“탄자나이트라는 푸른 돌을 아시나요?”

“아니…… 처음 듣는 이름이야.”

전생 전의 세계에서 탄자나이트는 그 이름이 붙은 지 아직 50년 정도의 역사밖에 없었다. 어쩌면 원래의 이름으로 불리고 있을지도 모른다.

“조이사이트는요?”

“조이사이트라. 분명 블루 조이사이트는 희소하지. 나도 아직 본 적이 없어.”

“혹시 돌에 얽힌 이야기가 있다면 가르쳐주시겠어요? 인간계에서 이 돌이 무어라 불리는지 알고 싶습니다.”

엘렌의 말을 듣고 어째선지 가디엘이 허둥대기 시작했다.

“그건…… 뭐지? 이 몸은 시험당하고 있는 건가……?!”

무심코 이 몸이라는 말이 튀어나올 만큼 가디엘은 동요하고 있었다. 로렌이 「앗」 하고 무언가 알아챈 표정을 지었다.

무언가 생각에 잠겨 있던 가디엘은 이내 마음을 정한 듯 입을 열었다.

"가르쳐주는 대신에…… 엘렌은 무얼 줄래?"

"네?"

설마 교섭을 해 오리라고는 생각하지 못하고, 놀란 엘렌의 뒤에 있던 이들에게서 긴장과 살기가 피어올랐다. 그 반응에 라베가 위통을 느끼며 무심코 헛기침을 했고, 그런 와중에 엘렌이 즉답했다.

"그럼 됐습니다. 직접 알아보겠습니다."

"크읏…… 그런 말 하지 말아줘……."

"네?"

조금 성가시다고 생각하고 만 것이 전해진 모양이었다. 진심으로 낙담한 가디엘의 모습에 엘렌은 조금 미안한 기분이 들었다.

완전히 가디엘의 패배가 결정되고 말았다. 그러한 상황에 카이와 반은 안심한 얼굴을 했다.

"블루 조이사이트는…… 그, 정령이 깃들어 있다고들, 해……."

쑥스러워하면서 가디엘은 말꼬리를 자그맣게 흐렸다.

"전하는 블루 조이사이트를 갖고 싶어서……."

"말하지 마—!"

너는 쓸데없는 소리를……! 하고 말하면서 가디엘이 라베를 질책했다.

"정령이 깃든 돌……."

그 말을 듣고서 엘렌은 갑작스레 생각에 잠겼다.

탄자나이트는 주변의 힘을 조작해서 그 장소를 정화하는 돌이라는 소문이 있다.

'그 비석의 탄자나이트가 마소 왜곡의 원인……?'

게다가 「정령이 깃든다」라는 말을 듣고서 떠올린 것이 있었다.

그 거목, 카쥬마루에 얽힌 이야기였다.

'정령이 깃드는, 나무…….'

정령이 연관된 기호에 엘렌은 잠시 아연실색했다. 아직 전모는 알지 못했지만, 어디선가 무언가가 이어진 느낌이 들었다.

"에, 엘렌? 왜 그러지? 무슨 일 있어?"

걱정하는 가디엘의 목소리에 퍼뜩 의식을 되돌렸다.

"죄송합니다. 하지만, 덕분에 뭔가 조금 알아낸 것 같아요!"

"어? 뭘?"

엘렌의 변화에 놀라는 가디엘을 무시한 채, 엘렌은 잇따라 물었다.

"답례는 뭐가 좋을까요?"

"어? 뭐?"

"그렇지. 할아범, 간식을 싸주실 수 있나요? 상하지 않게 포장용 얼음도 준비할게요!"

"알겠습니다."

척척 지시를 내리는 엘렌을 보고서, 상황이 마무리되고 있다는 사실을 이해한 가디엘이 허둥지둥 몸을 내밀었다.

"다, 답례라고 한다면, 내 부탁을 들어줬으면 좋겠어."

"네?"

갑자기 뭘까? 하고 엘렌은 고개를 갸웃거렸다.

"그…… 전하가 아니라, 내 이름을 조금 더 편하게 불러주지 않겠어?"

"……네?"

"가디엘이나…………………………… 가디스도 좋아."

마지막에, 조용히 애칭이어도 괜찮다는 말을 했다.

"가디엘 님?"

"님은 필요 없어. 엘렌, 너는 정령 공주잖아. 그렇다면 나와 위치는 다르지 않은 거잖아? 좀 더 편하게 불러줘."

"으음."

"안 될……까?"

눈을 살짝 홉뜨면서 풀이 죽는 가디엘을 보고, 엘렌은 왠지 가디엘이 귀엽다고 생각하고 말았다.

여기에 로벨이 있었다면 「부르지 않아도 된단다!」라며 웃는 얼굴로 끼어들었으리라.

'귀랑 꼬리가 있었다면 축 늘어졌을 것 같아…….'

그렇게 생각했더니 엘렌은 어쩐지 이상해졌다.

"가르쳐줘서 고마워. 가디엘."

에헤헤 하고 웃는 엘렌을 본 가디엘은 한 손으로 얼굴을 가리며 고개를 숙였다. 귀는 물론이고 목까지 새빨개져 있었다.

뒤에 있던 라베는 「감격스러워……」라고 중얼거리며 몸을 젖히고 하늘을 우러러보고 있었다.

카이는 충격받은 얼굴을 하고 있었지만, 엘렌은 눈치채지 못했다.

나중에 성으로 돌아온 가디엘의 수습되지 않는 표정을 본 가디엘의 여동생 시엘은「오라버니, 기분 나빠」라며 수상쩍어하는 얼굴을 하고서 신랄한 말을 날렸다.

제46화 지혜의 정령

섬 조사에 나서는 날. 오전에 엘렌과 반과 리히토는 애슈트를 데리러 갔다.

반크라이프트가의 현관홀로 이동해 나타난 순간, 낯선 인물의 등장에 저택 사람들 사이에서 약간의 긴장이 내달렸다.

그도 그럴 터였다. 리히토는 엘렌을 안아 든 채 공중에 떠 있었던 것이다.

"여러분, 안녕하세요!"

"엘렌 님, 어서 오십시오. 기다리고 있었습니다."

로렌이 한 걸음 앞으로 나서며 고개를 숙였다.

"리히토 오라버니, 이분은 로렌이라고 해요. 할아범이에요!"

"하하핫. 엘렌 님께서 소개해주신 대로, 반크라이프트가의 집사이자 할아범인 로렌이라고 합니다. 잘 부탁드립니다."

할아범이라고 소개를 받은 로렌의 얼굴이 흐뭇하게 누그러진 듯 보였다.

온화한 할아버지의 표정을 하고 있었지만, 그의 얼굴엔 어딘가 긴장한 빛을 띠고 있어 틈이 없었다. 웃는 얼굴이기는 했으나 눈은 리히토를 감정하는 듯 날카로웠다.

"응? 어느 게 이름이지? 자네는 할아범이라 부르면 되나?"

“하하핫. 그리 부르셔도 됩니다.”

호칭이 너무 많아 혼란스러웠지만, 엘렌이 할아범이라고 부르는지라 그 이외는 필요 없으리라고 리히토는 판단한 모양이었다.

“할아범, 이분은 리히토 오라버니예요. 빛을 관장하는 대정령이죠.”

“엘렌의 오빠야.”

“세상에.”

오빠라는 말에 로렌의 한쪽 눈이 부릅 크게 떠졌다. 그 모습을 목격한 엘렌은 순간 움찔했지만, 오해하고 있다는 것을 깨닫고 서둘러 정정했다.

“어머니가 이 세계의 창조와 함께 만들어낸 대정령 중 한 명이에요. 조금 복잡하지만, 일단 제 오라버니예요.”

“일단이 아냐. 엘렌은 내 여동생인걸.”

“오호, 그것참. 그러하셨습니까.”

“아, 알았다. 할아범은 착각했던 거지? 어머니의 배에서 태어난 건 엘렌밖에 없어. 나는 어머니의 권속이라고 하면 인간이 이해하기 편하려나?”

이 세계의 창조와 함께 태어난 대정령이라는 말을 듣고 뒤에 대기하고 있던 메이드들은 눈과 입을 크게 벌린 채 굳어졌다.

“오리진 님이 창조하신 아크 님은 리히토 님과 형제라고 이해하면 되겠습니까?”

“아, 형은 알고 있구나. 아크는 틀림없는 내 형이야. 나는 바로 아래 동생이고.”

"과연. 엘렌 님은 형제가 많으시군요."

"수천? 수만? 남매라는 틀로 묶는다면 아주 많지. 지위로 따지면, 엘렌의 오빠가 되는 건 나랑 형뿐이지만."

엘렌이 뭔가 이상한 자기소개가 되었다고 생각하고 있으려니, 마침 흄이 현관홀의 2층에서 내려왔다.

"안녕, 공주님. 바로 가는 거야? 애슈트를 부를까?"

"흄 군, 안녕하세요! 부탁드립니다!"

흄은 현관홀 계단을 다 내려오고서 애슈트를 부르려 했다. 그러나 계단을 다 내려오기 전에 리히토가 전이해서 흄의 앞에 갑자기 나타났다.

"아?!"

"꺅?!"

리히토에게 안겨 있던 엘렌도 함께였다. 놀라서 리히토의 목덜미에 꽉 매달린 엘렌을 안은 채, 리히토는 공중에 뜬 상태로 흄을 빤히 바라보았다.

"무, 무슨……?"

제아무리 흄이라고 해도 상황을 따라가지 못하고 놀란 모양이었다. 엘렌이 겨우 상황을 이해하고 흄에게 리히토를 소개했다.

"흄 군, 이쪽은 제 오라버니인 리히토 오라버니예요. 리히토 오라버니, 이쪽은 흄 군이라고 해요. 아버지의 동생의 의붓아들이죠."

"응? 로벨 형님의…… 동생의 아들?"

"네. 흄 군은 피는 이어지지 않았지만, 제 사촌 형제가 돼요."

엘렌이 설명에 리히토는 감탄했다.

“호오오. 인연이란 신기하군. 자네지? 지혜의 정령과 계약한 인간이란 게.”

“네? 네.”

“나는 빛을 관장하는 리히토라고 해. 그래, 그런가. 자네인가~. 응, 좋은걸. 그래, 표시를 해두자.”

““네?””

엘렌과 흄의 목소리가 하모니를 이루었다.

리히토는 엘렌을 안고 있지 않은 오른손 검지를 스윽 흄의 이마로 뻗더니 콕 하고 만졌다.

“후후후. 표시를 했으니까, 이걸로 지혜의 정령도 잡기 쉬워지려나?”

“리히토 오라버니! 무슨 짓을 하시는 거예요?!”

“어? 안 돼?”

엘렌이 바로 리히토에게 화를 냈다. 뭔가 좋지 않은 짓을 당하고만 것인가 싶어 흄은 불안해졌다.

“뭐, 뭐야? 못 따라가겠어. 뭘 당한 거야?”

“우으…… 흄 군, 미안해요. 뭐라고 할까…… 침을 발랐다…… 같은?”

간단히 말하자면 빛의 정령에게 가호를 받은 셈이지만, 그걸 이 자리에서 말해버리면 큰 소동이 일어날지도 몰랐기에 상당히 간단하게 말했다.

들키면 아마도 여신의 신전에 감금당하는 사태가 벌어질 수도 있다. 교회는 여신 외에도 낮과 빛 같은 것을 몇 가지 신봉하고 있었다.

휼은 리히토가 눈앞에 있음에도 불구하고 말없이 손수건을 꺼내서 이마를 벅벅 문지르기 시작했다. 그 모습을 본 리히토가 크게 웃음을 터뜨렸다.

그 후 바로 휼이 애슈트를 불러주었는데, 빛의 대정령에게 가호를 받은 것을 바로 눈치챈 애슈트가 크게 화를 냈다.

『휴! 바람핀 거야?! 애슈트가 있는데!』

"오해야. 나는 애슈트밖에 없어."

『부우!!』

애슈트의 콧김이 거칠어졌다. 발을 구르며 맹렬하게 항의하고 있다. 분노가 너무 대단해서 흥분이 가라앉지 않는 모양이었다.

"곤란한걸…… 애슈가 기분을 풀어주질 않아."

휼이 한숨을 내쉬었다. 엘렌에게 애슈트를 맡겨야 하는데, 예상 외의 사태에 애슈트가 몹시도 화가 나서 이야기가 진전되지 않게 되었다.

"표시 정도는 딱히 상관없잖아. 너희가 도망치는 게 문제라고."

『뿌우! 도망치지 않았어! 공주님한테 제대로 협력하겠다고 말했어!』

"너는 그렇지. 하지만 너희 일족은 정말로 잡히질 않잖아. 필요한 때 잡혀주지 않으면 이쪽도 곤란해."

『뿌우—!!』

탕탕! 하고 애슈트는 계속해서 발을 굴렀다. 이 표시라는 것은 대정령만 쓸 수 있으며, 마음에 든 인간에게 표시를 하는 일이 드묻게 있었다.

로벨도 오리진에게 가호를 받았는데, 대부분은 계약한 정령이 인간에게 주는 것이 당연했다.

침을 발랐다고 표현했듯, 귀족이 의중에 둔 자에게 눈동자 색과 같은 액세서리를 건네는 것과 같은 효과가 있다. 그것을 다른 정령과 계약한 자가 받는다는 것은, 애슈트가 말했듯「바람」이나 마찬가지였다.

애슈트는 버럭버럭 화냈다. 대정령의 표시는 강력해서, 평범한 정령인 애슈트가 당해낼 수 있을 리가 없었다.

이대로라면 가호 탓에 강제적으로 계약 해제를 당할 가능성이 있었다. 그것이 싫다면 나한테서 도망치지 말라고 리히토는 웃으면서 애슈트를 위협하고 있는 것이다.

그 설명을 들은 휴이 곤란해하자, 리히토에게 안겨 있던 엘렌이 전이해서 도망치더니 리히토 바로 앞을 가로막듯 섰다.

"리히토 오라버니."

"……에, 엘렌. 왜 그러니?"

빛의 대정령인 리히토도 그렇지만, 엘렌의 낮은 음색에 주변 모두가 움찔하고 떨었다.

엘렌의 기백에 밀린 리히토의 안색이 점점 안 좋아졌다.

"다른 정령과 계약한 분에게 간섭을 하는 건 매너 위반이에요."

"윽……."

"리히토 오라버니가 그런 일을 하는 분이라고는 생각하지 못했어요."

"에, 엘렌……?"

엘렌의 진지한 표정에 리히토가 한 걸음 뒷걸음질 쳤다.

"실망이에요."

"에에에엘렌?!"

"미워요."

"미워?!"

마지막 일격에 당하기라도 한 것처럼 리히토의 안색이 창백해졌다. 너무나도 큰 충격에 경직된 모양이었다.

그 모습을 본 엘렌은 조용히 훗 하고 미소를 지었다.

"표시를 없애주세요."

엘렌은 미소를 지으며 리히토를 압박했다. 주변 사람들은 이루 말할 수 없는 공포에 오싹오싹한 오한을 느꼈다.

엘렌이 매우 화났다는 걸 알 수 있었다. 조금 전까지 분노로 흥분했던 애슈트도 엘렌의 모습에 움찔움찔 떨며 훔의 손안으로 도망쳤다.

훔도 처음 보는 엘렌의 모습에 당혹스러움을 감추지 못했다.

특히 반크라이프트가의 사람들은 엘렌을 화나게 한 텐바르의 왕족과 베른드르가의 말로를 알고 있는 만큼, 너무나도 두려워 숨을 죽였다.

화나면 웃는다. 역시 반크라이프트가의 핏줄이라고 저택 사람들은 생각했다.

"우으…… 엘렌이 화났어…… 알았어. 미안해."

빛의 대정령이 울상을 지으며 흄의 이마에 표시한 가호를 먼지라도 떼는 것처럼 휙 하고 손으로 털어냈다.

곧바로 애슈트가 뿅 하고 흄의 얼굴로 뛰어올랐고, 흄의 이마에 코를 대고 킁킁 냄새를 확인했다.

"애, 애슈, 간지러워."

『흄은 애슈 거야!』

"응. ……후후."

킁킁 냄새를 맡고 안심했는지 애슈트는 흄의 이마를 할짝할짝 핥았다. 흄이 간지럽다며 몸을 뒤틀고 도망치기는 했지만, 둘 사이는 잘 풀린 것 같았다.

"으으…… 엘렌한테 미움받으면, 나는 이 세계의 빛을 전부 사라지게 만들 것 같아……."

"리히토 오라버니, 그건 상당한 민폐이니 그만둬 주세요."

정말, 하고 어이없어하는 엘렌을 리히토가 꼭 끌어안고 비비적거렸다. 이쪽은 이쪽대로 화해를 한 모양이었다.

"할아범도 엘렌 님께 미움을 받으면 견디지 못할 겁니다……."

절절한 로렌의 말에 그 자리에 있던 모두가 고개를 끄덕였다.

그렇게 겨우 애슈트를 데리고서 일단 정령성으로 돌아갔다.

얌전히 기다리던 아크는 약속 시간이 지나도록 모두가 오지 않자 지쳤던지, 졸음에 겨워 꾸벅꾸벅 졸고 있었다.

아크가 선잠이 든 걸 눈치챈 엘렌 일행은 서둘러 아크를 깨워 섬으로 향했다.

*

그저께 함께했던 인원에 애슈트를 더한 일행은 섬의 상공으로 전이했다.

점심을 조금 지난 때여서인지, 태양이 바로 머리 위에 있어 상당히 눈부셨다. 며칠 전에는 구름이 있어서 신경 쓰이지 않았었는데, 오늘은 하늘이 맑았다.

엘렌이 눈부셔하며 눈을 가늘게 뜨고 있는 것을 알아챈 리히토는 상공을 향해서 오른손을 한 번 휘둘렀다.

그러자 점점 햇볕이 약해지고 어둑해졌다. 발아래에 무성한 숲을 보면, 빛의 세기로 녹색의 차이가 분명하게 났다. 엘렌 일행 주변만 빛을 약하게 해준 듯했다.

“리히토 오라버니는 이런 것도 할 줄 아는 건가요?”

“여기만 빛을 약하게 한 거? 이 정도는 간단해.”

리히토는 별것 아니라고 말했다. 역시 빛의 대정령이라고 해야 할까.

“마음 써주셔서 감사합니다.”

“천만에요.”

리히토는 조금 전에 엘렌에게 미움을 받으면 이 세계의 빛을 거둘 거라고 했었는데, 그 말이 전혀 농담이 아니었다는 것을 알고 새삼 무서워졌다.

‘한 번 손을 흔드는 것만으로 햇볕을 조절하다니…….’

리히토가 빛을 거두면 이 인간계는 낮이 사라지고, 영원한 밤인 세계로 변하게 될 것이다.

그것들이 가져올 재해를 상상하고서 엘렌은 몸을 떨었다.

그런 모습의 엘렌과는 전혀 다르게, 옆에 있던 아크는 선잠을 자다 도중에 억지로 깬 탓인지 여전히 반쯤 감긴 눈으로 하품을 하고 있었다.

그 모습을 힐끗 본 아우스톨이 아직도 졸리냐며 어이없어했다.

정령과 인간의 가치관의 차를 뼈저리게 느끼는 것은 이런 때였다. 정령의 일희일비로 인간계에 끼치는 막대한 은혜와 피해. 어느 쪽이든「지나치다」라는 말이 꼭 들어맞았다.

엘렌도 힘을 쓰면 조절이 어렵고, 지나치다고 로벨에게 주의를 받곤 한다. 어쩌면 그것은 막대한 힘을 가진 대정령의 타고난 성질인지도 모른다.

섬의 땅 위로 내려서기 전에, 다시 한번 자기소개와 작전회의를 하기로 했다.

엘렌은 팔로 감싸고 있던 애슈트를 모두에게 보이도록 정면으로 안아 들고, 소개했다.

"여러분, 오늘은 지혜의 정령 애슈트의 협력하에 유적을 중심으로 정보 수집을 하려고 합니다!"

『뀨웃! 애슈트야!』

안겨 있는 자세이기는 했지만, 애슈트는 코를 킁킁거리면서 귀를 쫑긋 세우고 주변을 빙글 돌아보며 자기소개를 했다.

“지혜의 정령이라니 별일이네. 너도 꼬마라고 부르면 될까?”

『애슈, 꼬마가 아닌걸! 꼬마는 이 녀석이잖아?』

“크으으! 듣자 듣자 하니까 이 꼬맹이 놈이……!”

반의 태도에 아우스톨은 무언가 이해한 모양이었다.

“아아, 네가 꼬마가 말했던 완전 꼬맹이인가.”

『완전 꼬맹이 아니야!』

“꼬마들이 잘 노는걸.”

엘렌은 쓴웃음을 지으며 아우스톨에게 말했다.

“아우스톨은 뭐든 꼬마라고 하는 건가요?”

“응? 기분 탓 아냐?”

아우스톨이 태연한 태도로 대답하자 엘렌은 쓴웃음을 지었다.

만약 여기에 빈트가 있었다면 「그러고 보니……」 하고 동의했을 것이다.

“반 군, 애슈트, 거기까지 하세요!”

『우으!』

“크으으…… 알겠습니다.”

엘렌에게 안겨서 허공에 뜬 채인 애슈트의 다리가 무언가를 차듯이 움찔움찔 움직였다. 무의식적으로 발을 구르고 있는 것이리라.

아래에서 받쳐 들 듯이 애슈트를 안고서, 엘렌은 애슈트의 머리를 쓰다듬었다. 가능한 한 꼬옥 끌어안아주자, 애슈트는 겨우 진정해주었다. 엘렌은 이야기를 계속했다.

"유적 조사는 애슈트를 중심으로 해주세요. 그 후에 비석 조사를 부탁드립니다."

『뀨우! 공쥬님은 뭘 알고 싶어?』

애슈트의 질문에 엘렌은 으음~ 하고 고민하다 대답했다.

"지금 알고 싶은 건…… 유적의 시대, 부서진 연대, 몬스터 템페스트의 영향과 그 관계성일까요?"

"몬스터 템페스트의 영향이라면 나도 조사해왔으니까 나중에 가르쳐줄게. 대조해보면 뭔가 알 수 있을지도 몰라."

엘렌을 한 팔로 안은 리히토가 엘렌의 머리를 쓰다듬으며 말했다.

엘렌이 애슈트를 안고서 쓰다듬고, 그 엘렌을 리히토가 안고서 쓰다듬는 광경을 본 아크가 무슨 생각을 했는지 리히토의 머리를 쓰다듬었다.

그 행동에 리히토와 엘렌이 「응?」 하며 고개를 갸웃거렸고, 그것을 본 아우스톨이 「크하핫」 하고 호쾌하게 웃었다.

"어머님, 남매란 저런 겁니까?"

"아, 공주님네는 사이가 좋으니까. 우리는 얼굴을 보면 치고받고 하니까 가족 나름 아닐까? 그나저나 공주님네는 정말로 닮았네. 얼굴부터 행동까지 똑 닮아서 웃음이 나와."

"그, 그런가요?"

생각하지 못한 곳에서 남매라는 말을 듣고, 엘렌은 리히토와 아크를 보았다.

아크와 리히토는 오리진과 생김새가 똑 닮았다. 오리진의 권속이니 당연한 일이지만, 엘렌도 오리진과 닮은 생김새라 역시 남매로 여겨지는 모양이었다.

전생 전도 전생 후도 엘렌은 외동이었기에 남매라는 개념이 잘 이해되지 않았다. 하지만 이런 게 남매인 것일까 생각했더니 실감이 조금씩 들었고, 어쩐지 조금 멋쩍어졌다.

친구들이 자주 투덜거리던 것을 몹시 부러워했던 기억이 있다. 사이가 좋은 경우부터 무관심, 과한 간섭, 험악하기까지. 이야기를 들을 때마다 전부 자신과는 인연이 먼 것이라고 여겼었다.

듣기에 엘렌에게는 많은 남매가 있다고 한다. 아직 보지 못한 남매들 생각에 가슴이 두근거리고 어쩐지 기뻐졌다.

"에헤헤."

"엘렌이 기분 좋은가 봐."

"오라버니분들과 닮았다는 말을 듣고 기쁘셨나 봅니다. 제게는 형제가 없어 참 부럽습니다."

반이 흐뭇해하며 그렇게 말했다.

『알고 싶은 건 이제 됐어?』

"그러네요. 나중에 또 생기면 상담할게요."

『알았어! 애슈 열심히 할게!』

"고마워요. 저희도 도울 테니 뭐든 말해주세요."

이리하여 엘렌 일행은 유적 조사에 나서게 되었다.

*

붕괴한 유적에 도착하자 애슈트가 엘렌의 품 안에서 뿅 뛰어올랐다.

"앗?"

『애슈, 조사하고 올게!』

그렇게 말하는가 싶던 순간, 애슈트의 모습이 사라진 것처럼 보였다.

"어라?"

애슈는 퓨웃—하고 유적 주변을 엄청난 기세로 뛰어다녔다. 때때로 지그재그로 방향을 바꾸고, 한순간 멈추는가 싶다가 뿅~ 하고 높이 점프하고, 또 달렸다.

그러더니 이번에는 몸을 틀어 점프하면서 석상 앞을 빙글빙글 도는 등 바빴다.

그런가 싶더니, 지쳤는지 배를 깔고 엎드려 코를 찡긋찡긋하거나 주변의 잎을 오물오물 먹거나 했다.

엘렌과 반은 애슈트가 하는 행동의 의미를 알 수 없어 멍하니 지켜보고 있었다.

"꼬맹이 녀석은 대체 무얼 하고 있는 겁니까?"

"그게…… 지치고 배가 고픈 거려나? 이파리를 맛있게 먹고 있네."

애슈트가 마법을 쓰고 있는 기척은 느껴지지 않았다. 그저 토끼 특유의 행동을 하고 있는 것으로만 보였다.

그런 엘렌과 반의 의문에 리히토가 대답해주었다.

"저게 조사하고 있는 거야. 냄새를 맡거나, 발을 들여놓거나 하기만 해도 뭔가를 아는 것 같아. 지혜의 정령은 뭔가를 먹으면 성분을 알 수 있다더군. 그런데 일단, 늘 저 속도로 움직이기 때문에 좀처럼 잡히지를 않아."

엘렌을 안은 채로 리히토가 재주 좋게 어깨를 으쓱였다.

바람과 물을 조종해 도망 경로를 차단할 수 있다면 또 모를까, 빛이라 불리한 것이리라. 그래서 표시를 해서라도 잡으려 했던 것인지도 모른다.

'플래시로 눈을 부시게 한다든가…… 말하지는 않는 편이 좋을 것 같아.'

애슈트가 곤란한 상황에 처하고 말 것 같았다.

"제가 흄 군을 통해서 부탁할 테니까, 애슈트에게 용건이 있을 때는 제게 알려주세요."

"그래도 되겠어?"

"네. 일하는 중이라 잡히지 않을 때가 있을지도 모르지만, 저택에도 치료원에도 가니까 자주 만나거든요."

"그래? 큰 도움이 될 거야. 고마워."

"별말씀을요."

반크라이프트가에 빛의 대정령이 직접 향하거나 하면 소동이 일어나지 않을 거라고는 단정할 수 없다.

'숙부님의 고민거리가 더 늘어버릴 거야…….'

치료원에 나타나는 트루를 환자에게 목격당한 일도 그랬지만, 반크라이프트는 그렇지 않아도 정령과 가깝다고 소문이 소문을 부르고, 쌍둥이 여신을 신앙하는 교회에도 주목을 받고 있다.

그런 상황에서 심지어 빛의 대정령이 모습을 드러내기라도 한다면, 큰 소동 정도가 아닐 터였다.

게다가 얼마 전에 반크라이프트에서 카르라는 정령 마법사까지 나타났다. 반크라이프트에서는 정령의 가호를 얻을 수 있다는 소문까지 돌고 있는 지경이었다.

'뭐라고 할까, 관광 명소가 되어가고 있는 것 같아…….'

정령 마법사가 있는 만큼, 치료원과 교회는 끊으려야 끊을 수 없는 관계가 있었다. 그렇기에 신에게 기도하며 치료에 임하는 자가 많았다.

그런데 반크라이프트에서는 그런 존재들이 바로 눈앞에 있는 것이다. 나아가, 모여든 사람들이 직업을 구하자 사람이 계속 몰려오는 중이었다.

최근에는 왕도보다도 번성하고 있는 거 아닌가? 하는 소문까지 돌게 되었다.

엘렌은 「숙부님, 죄송해요」 하고 사과할 수밖에 없었다.

*

한바탕 조사를 마쳤는지, 애슈트는 지친 듯 배를 깔고 엎드려 축 늘어졌다.

"애슈트, 괜찮나요?"

엘렌이 걱정스레 묻자, 애슈트의 귀가 움찔하고 움직였다.

『애슈, 조사했어. 근데 지쳤어.』

"네. 편하게 쉬세요."

『응.』

애슈트가 조사하는 동안 아우스톨과 반이 다른 누가 없는지 주변을 탐색했고, 아크는 마소 상황을 조사했다. 리히토는 엘렌에게 몬스터 템페스트가 할퀴고 간 흔적을 가르쳐주었다.

"기록에 있는 건, 몬스터로 변한 동물들의 동향과 주위의 영향이야. 마소에 관해 조금 복습해보자."

"네."

"마소는 강의 흐름처럼, 일정한 방향으로 늘 흐르고 있어. 그것을 가둬두면 농도가 짙어지고, 탁류가 되어 범람해. 거기에 동물들이 휩쓸려서 흘러가지. 홍수와 마찬가지야."

템페스트라니 정말로 적절한 표현이라며 엘렌은 감탄했다. 흉포화한 동물들이 지나간 다음은, 폭풍이 지나간 후 같다고들 한다.

"형의 힘의 영향인지는 알 수 없지만, 흐름이 멈춘 마소는 억지로라도 움직이려 하면서 도망칠 길을 찾아. 그게 동물들이 가진, 본래의 핵이기도 한 마소와 융합하여 폭주를 일으켜. 우리는 본래 힘을 가지고 있어서 어느 정도 마소의 영향은 받지 않지만, 이 세계의 모든 것은 어머니가 마소를 바탕으로 만들었으니 그 영향을 받아. ……이 숲도 그래."

리히토는 주변을 휘 둘러보았다. 울창한 이 숲은 분명 마소의 영향을 받아서 정글처럼 되어 있었다.

사람의 손길도 동물들의 영향도 받지 않은 숲은 천적이 없는 것을 기회 삼아, 이렇게나 싶을 만큼 뿌리를 내리고 하늘로 가지와 잎을 뻗었다.

"흉포화한 동물들은 마소의 흐름에 따르듯이 흘러가고, 진로에 있는 모든 것을 파괴하고 삼켜가. 그것이 이 섬처럼 폐쇄된 곳이라면 더욱 융합을 이뤄간다고 해. 엘렌이 말했던 고독이란 것처럼."

"설마…… 정말로?"

흉포한 것이 더욱 흉포한 것에 삼켜지듯이 서로 융합하고, 마지막은 하나가 되어간다. 그 모습을 상상하고서 엘렌은 너무나도 두려운 나머지 몸을 떨었다.

"식물은 마소를 영양분처럼 흡수해서 성장한다고 하니까, 이 숲이 울창한 건 당시의 마소가 영향을 주고 있는 거겠지."

거기까지 들은 엘렌은 의문이 들었다. 마소가 영향을 준 것은, 마지막에 어찌 되는 것일까.

아크가 없다면, 마소는 어떻게 소화되는 것일까.

이 섬의 모습이 바로 그것이었다. 섬에서는 동물의 모습도, 마지막 하나가 되었을 자도 발견되지 않았다. 그저 울창한 숲과 기묘한 거목이 있을 뿐이다.

"……리히토 오라버니, 마소에 잠긴 동물들이 사멸한 경우, 그 마소는 대체 어떻게 되나요? 해방되고 나선 다시 정체되는 원인으로 바뀌나요?"

"뭐?"

엘렌의 질문에 리히토는 고개를 갸웃거렸다. 그런 건 생각해본 적도 없었다며 고개를 꼬고 있자, 때마침 돌아온 아크가 보였기에 리히토는 「형!」 하고 불렀다.

엘렌이 한 질문을 아크에게 다시 던지자 아크는 손짓 발짓을 해가며 설명을 시작했다.

"죽어, 마소, 위, 올라가."

"위인가요?"

"맞아. 세상의 꼭대기, 가면, 새로, 지상, 쏟아져. 그게, 제약."

위를 가리키고, 그다음에 비처럼 쏟아진다고 아크가 말했다.

'마치 상승기류 같아…….'

눈의 발생과 같은 구조라고 엘렌이 생각하고 있으려니, 그것을 들은 리히토가 중얼거렸다.

"아하, 흉포화한 동물들은 죽이는 게 가장 빠르다는 건가요?"

기묘하게도 인간들이 취한 수단이 최선이라고 한다. 하늘로 올라간 마소는 새로운 땅으로 흘러가기 때문에, 그 일대의 농도는 분해되는 것이다.

그럼 이 일대의 동물들이 없는 현상은 어떻게 된 일일까? 곤충까지 보이지 않는다는 것은, 아무리 그래도 이상했다.

바로 그때, 전이해 돌아온 반이 무언가를 발견한 모양이었다.

"공주님, 신경 쓰이는 게 있습니다."

"반 군, 그게 뭔데?"

"그게…… 가져오기가 좀 어려워서…… 함께 가주실 수 있겠습니까?"

엘렌 일행은 얼굴을 마주 보고, 그리고 고개를 끄덕였다.

"애슈트, 잠시 다녀올게요! 금방 돌아올 거예요."

『뀨웃!』

조금 회복이 됐는지 애슈트는 두 다리로 서서 귀를 뿅 세우고 대답해주었다.

엘렌 일행은 서둘러 반이 안내하는 장소로 이동했다. 그곳에는 기묘하다고밖에는 달리 표현할 방법이 없는 것이 있었다.

"이건…… 설마 삼켜져 있는 건가?"

그곳에 있던 것은 백골화한 동물의 사체였다. 그러나 그 사해는 마치 눌려 뭉개진 것처럼 뿌리에 얽혀 찌그러져 있었다.

자세히 주변 나무를 살펴보니 가지 사이로 군데군데 하얀 것이 보였다.

"설마……."

엘렌은 리히토의 품에서 내려서서 하나하나 하얀 것을 확인해나갔다. 동물들이 이 섬에 없는 이유는 식물에 삼켜진 탓이었던 것이다.

『뀨——!』

그때, 애슈트의 새된 비명이 들려왔다.

"애슈트?! 서둘러 돌아가요!"

엘렌이 그렇게 외치고, 순식간에 애슈트 곁으로 돌아왔다. 그곳에서 본 것은 믿을 수 없는 광경이었다.

『뀨뀨뀨~!』

애슈트는 필사적으로 도망치고 있었다. 애슈트를 노린 그것은, 스스스스스 하고 바닥을 기면서 뒤쫓고 있었다.

엘렌은 허둥지둥 애슈트 앞으로 뛰쳐나가 양팔을 펼쳤다.

"애슈트, 여기예요!"

『공쥬님~!』

땅을 차며 뾰옹—하고 품으로 뛰어 들어온 애슈트를 안고서 엘렌은 서둘러 상공으로 전이했다.

리히토는 엘렌과 애슈트를 감싸며 사이로 끼어들었고, 빛의 광선으로 땅을 기는 무언가를 노리고 푹푹 찔렀지만 반응은 없었다.

"어이어이, 무슨 일이야?"

반이 염화로 아우스톨을 부른 모양이었다. 전이해 돌아온 아우스톨은 두더지처럼 땅을 기어가는 무언가를 보더니, 재미있다는 듯이 웃었다.

"이거 뭐야? 뭔가 있는데?"

아우스톨은 들쑥날쑥 땅을 기는 것의 진로 방향으로 전이하더니, 주먹으로 지면을 내려쳤다.

"흐읍!"

"어, 어머님?!"

쿠우우웅 하는 땅 울림과 함께 대지가 갈라졌다.

"어, 어어……."

"어머님…… 뭐든 주먹으로 해결하려고 들지 말아주십시오……."

엘렌과 반의 곤혹스러워하는 목소리가 들렸다. 아니나 다를까, 아우스톨은 땅을 기는 무언가를 움켜잡고 끌어 올렸던 것이다.

"으라차아아아아!"

아우스톨이 움켜쥐고 끌어 올린 것이 지면을 가르며 모습을 드러냈다. 그것은, 나무뿌리였다.

"어라……? 뿌리?"

아우스톨이 움켜쥔 뿌리 같은 것이 뽑혀 나오자 점점 본체 쪽으로 향해갔다.

들쑥날쑥하고 땅 위로 드러나는 뿌리. 그것은 무너진 유적에 얽혀 있던 담쟁이덩굴로 이어져 있었다.

"설마…… 그럴 수가……!"

엘렌의 놀란 목소리가 그 자리에 울렸다.

동물들이 없는 이유. 식물에 뭉개지고 남겨진 뼈의 잔해. 동물들은, 이 섬의 식물이 삼켜 영양분으로 삼았던 것이다.

바람이 불어와 쏴아아 하고 나뭇잎을 흔드는 그 소리가 엘렌에게는 말로 형용할 수 없는 공포의 소리처럼 들렸다.

"여러분, 일단 한 번 하늘로!"

"알았어."

아우스톨은 우둑우둑 힘으로 뿌리를 잡아 찢으며 대답했다.

엘렌 일행은 전이해서 곧바로 그 자리를 벗어났는데, 아우스톨은 손에 남아 있던 뿌리의 잔해를 보고 「우와!」 하고 소리쳤다.

"아, 아우스톨…… 괜찮나요?"

"응? 이거 말이야? 찢어버렸더니 얌전해졌어!"

싱긋 즐겁게 웃는 아우스톨의 옆에서 반이 먼눈을 하고 있었다.

겁먹은 엘렌과 애슈트를 리히토가 한꺼번에 안아 들고서 아우스톨에게서 슥 거리를 두었다.

"뭐야? 그런 눈으로 보지 마."

질색하는 주변의 반응에 아우스톨은 입술을 삐죽였다. 그리고 그 와중에 아크가 흥미진진해하며 뿌리를 바라보고 있었다.

"줄까?"

그녀는 갖고 있던 뿌리를 아크에게 권하고 있다. 그런 걸 받은들…… 하고 아크 이외의 모두가 생각하고 있으려니, 아크가 갑자기 손가락으로 뿌리를 콕콕 찔렀다.

그러자 슈우우 하는 소리와 함께 김을 뿜으면서 단숨에 뿌리가 바짝 말라버렸다.

"아크 형, 대체 무얼 한 겁니까?"

"마소, 얽혀 있었어. 풀었어."

자신만만하게 아크가 말했다. 우쭐한 얼굴을 한 아크를 본 엘렌은 분위기를 읽고 그를 칭찬했다. 아크는 신난 표정이었다.

"동물들이 없는 이유를 이로써 알게 됐네요."

"그래, 설마 식물이 동물들을 공격했을 줄이야."

"거목의 움직임으로 예상했어야 했어요. 깨닫는 게 늦어서 죄송해요."

엘렌이 풀 죽자, 반이 마음을 써주었다.

"무슨 말씀이십니까. 아무도 상상하지 못했으니, 공주님이 사과하실 일이 아닙니다!"

"맞아, 엘렌. 설마 식물이 동물을 습격했을 거라고는 보통 생각하지 않잖아?"

"네……."

그렇게 말해도, 애슈트를 위험에 빠뜨리고 만 것은 사실이었다. 그것을 애슈트에게 사과하자 애슈트는 『왜 공쥬님이 사과해?』라며 고개를 갸웃거렸다.

『애슈 있지, 조사하고 신경 쓰여서 물어봤어. 그랬더니 습격받았어!』

"응? 물어봤다니?"

『응, 왜 동물 없어? 하고 물어봤어. 그랬더니 있지, 습격했어!』

"저기…… 누구한테 물어봤나요?"

『지면!』

"네……?"

자세하게 물어보니, 지혜의 정령은 그 세계에 있는 모든 것의 지식을 「대화」를 통해 배우는 힘이 있다고 한다.

그 방법이 바로 그 발구르기였던 것이다.

『발로 두드리면 있지, 바로 대답해줘!』

"……그건 반사음과 잔향으로 조사하는 건가요?"

『그게 뭐야?』

꾸우? 하고 콧소리를 내며 애슈가 고개를 갸웃거렸다. 본인에겐 대화로 들리는 듯, 엘렌이 하는 말이 이해되지 않는 모양이었다.

'발로 소리를 내거나 해서 돌아오는 소리를 정보로 받아들이는 힘인지도 몰라…….'

"애슈트는 대단하네요."

『맞아. 애슈는 있지, 대단해!』

"네. 대단해요."

엘렌에게 칭찬을 받은 애슈트의 귀가 뿅 하고 섰고, 두 발로 서서 재촉했다.

『더 해줘!』

"대단해요 대단해요!"

『꾸웃 꾸웃!』

엘렌에게 칭찬받은 애슈트가 아주 기뻐했다. 그런 애슈트가 귀여워서 엘렌은 애슈트의 머리를 쓰다듬었다.

"공주님, 이 일대의 숲은 마소의 영향으로 흉포화된 것일까요?"

"음~ 식물에 본체인 정령이 있다면 모를까, 마소가 영향을 주었다고 해서 독자적인 자아를 가질 거라고는 조금 생각하기 어렵네요. 식물 중에는 식충 습성이 있는 것이 있으니까, 그쪽으로 진화했다고 생각하는 게 자연스러울지도 모르겠어요."

『저기, 있지. 애슈, 조사했어. 왜 부서졌어? 하고.』

"네, 어땠나요?"

『있지, 처음엔 마소가 폭주했대.』

“역시…… 그건 몇 년 정도 전의 일인가요?”

『150년쯤 전이라고 했어!』

“시기적으로도 맞아떨어지네요.”

아크가 사로잡혀 있던 시대와 일치했다.

엘렌은 텐바르에서 두 번 일어났던 몬스터 템페스트의 기록을 조사해보았는데, 첫 번째는 정령과의 사건도 있던 탓인지 은폐되어서 알 수 없었다.

두 번째는 로벨과 오리진이 해결했다. 그 후는 재해를 당한 나라의 부흥 기록밖에 없었고, 현지 정보는 거의 없었다.

텐바르의 몬스터 템페스트는 그다지 도움이 되지 않았다. 그런 만큼 애슈트가 있어주어서 정말로 다행이라고, 엘렌은 생각했다.

또 무슨 일이 있었는지 자세하게 물어보자, 애슈트가 차례차례 가르쳐주었다.

『처음은, 동물들이 크아아~ 하고 날뛰었대! 하지만, 여기는 좁으니까 모두가 싸우게 됐대. 그랬더니 부서져버렸다고 했어!』

“역시 유적은 몬스터 템페스트로 망가진 거로군요.”

『응! 그때 상처를 입어서 화났다고 말했어!』

“……누가 화났나요?”

애슈트의 말에 무언가 걸리는 느낌을 받은 엘렌이 무심코 물었다.

『커다란 나무!』

“네……?”

나무가 화났다고? 모두가 자신의 귀를 의심했다. 조금 전 나무가 자아를 가지는 것은 생각하기 어렵다고 말한 참인데, 이 섬에는 자아를 가진 나무가 있다는 뜻인 걸까?

『커다란 나무가 말이지, 가까이에 있던 돌에 부탁했대. 여기를 지키고 싶다고.』

"커다란 나무…… 그건 혹시, 저 거목인가요?"

일행은 상공에 뜬 상태로, 발아래에 서있는 그 나무를 보았다. 유독 커다란 나무로 모두의 시선이 향하자 애슈트가 『그 나무야!』 하고 긍정했다.

"가까이에 있는 돌…… 그건 혹시, 저 청자색 돌이 아닐까요?"

반의 말에 엘렌은 머릿속에서 무언가가 연결된 느낌을 받았다.

'둘은 정령이 깃든다고 하는 공통점이 있지만, 하지만 주변에 정령의 모습은 없었어.'

정령이란 기본적으로 두 종류 있다. 동식물에서 승화하여 정령이 된 아우스톨 같은 자와, 오리진이 창조한 근원을 관장하는 아크 같은 대정령.

전자는 정령에서 승화하여 대정령 클래스가 되면 사람의 모습이 된다.

오리진이 만들어낸 정령은 관장하는 힘이 본래 크기 때문에 처음부터 대정령이 되는 인간 모습의 정령만을 낳고 있었다.

부모가 되는 나무에서 가지가 뻗어 나와 갈라지듯이, 권속으로서의 속성을 가진 자들이 태어난다. 열매를 맺듯 차례차례 아이가 태어나는 것이다.

부모인 대정령이 그들에게 권속으로서의 힘과 가호를 주고, 정령으로 승화시켜 세계를 관리해나가는 것이다.

'저 나무나 돌 중 하나…… 혹은, 정령의 바탕이 된 자가 있다고 한다면. 그리고 몬스터 템페스트의 영향으로 정령에게 무슨 일이 일어났다고 한다면…….'

심각한 표정을 하고서 생각에 잠겨 있는 엘렌을 주변 사람들은 조용히 지켜보았다.

잠시 후, 그제야 엘렌은 주변의 상황을 깨닫고 당황했다.

"앗! 죄, 죄송해요. 생각에 빠져 있었어요."

엘렌은 생각에 정신이 팔리면 주변이 보이지 않게 되고 만다.

"괜찮아. 로벨 형님한테 엘렌이 생각에 잠기면 방해가 안 되도록 쉿! 해야 한다고 들었거든."

리히토는 한 손의 검지를 세우고서 입가에 대고 엘렌에게 윙크를 해 보였다.

"아, 고맙습니다."

당혹스러워하면서도 면목 없다는 듯이 인사를 하자 리히토는 그 외에도 로벨에게 들은 것이 있다고 가르쳐주었다.

"그것 말고도, 이렇게 생각에 잠겨 있는 엘렌은 주변이 보이지 않게 되니까, 안아 들거나 해서 절대로 시선을 떼지 않도록 하라고 했어. 나는 그렇군! 하고 납득했지."

"으읏."

조금 전처럼 눈을 뗀 틈에 뿌리에 습격을 당하는 사태가 일어나지 않으리라고는 단정할 수 없었다.

실제로 당황스러운 전개가 펼쳐졌었기에, 리히토는 더더욱 납득한 것이리라.

"시선을 뗀 틈에 무슨 일이 벌어졌다면— 하고 생각하면 정말로 무서워. 여러 명이 엘렌을 감시해달라고 했던 말의 의미를 자알~ 이해했어."

"우으으."

엘렌은 변명조차 할 수 없었다. 모두 과거에 자신이 저질렀던 일이었기 때문이다.

과보호의 원인은 자신에게 있다고 인식을 고쳐야만 했다. 로벨에게 자식한테서 벗어나라고 재촉하기보다는 우선 자신이 자립해야 한다고 엘렌은 결심했다.

"뭐라 할 말이 없네요…… 우으…… 죄송해요."

"그렇게 풀 죽을 것 없어. 우리가 지켜보고 있을 테니까, 엘렌은 하고 싶은 대로 해도 괜찮다는 뜻이야."

리히토가 생긋 웃으며 엘렌의 뺨을 콕콕 찔렀다.

"그 녀석이 과보호하게 되는 이유를 조금 알았어. 이런 일이 일어나는 거라면, 분명 공주님한테서 눈을 못 떼지."

아우스톨까지 동의했다.

엘렌이 관여하면 예상외의 사태가 벌어진다고 모두가 입을 모아 말했다.

그러나 엘렌은 떠올렸다. 그녀가 이곳에 있는 이유는, 애초에 쌍둥이 여신의 조언이 발단이었다.

'그건 즉, 내가 가면 무언가가 일어나기 때문에 데려가라는 뜻……?'

애슈트에게 협력을 부탁하고 싶다는 말을 꺼낸 것도 분명 엘렌이었다. 새삼스럽지만, 나는 트러블 메이커인 걸까? 작지 않은 충격이었다.

『공쥬님, 뭔가 알았어?』

"아, 네. 어쩌면 거목이나 비석 중 한쪽에 원래부터 정령이 깃들어 있었던 건 아닐까 생각했어요."

"정령이? 그것은 처음에 말했던 그건가?"

"네. 하지만 정령의 모습은 보이지 않으니, 생각이 지나쳤나 싶었는데…… 조금 전 애슈트의 이야기를 듣고서 그 정령이 마소의 영향을 받았다면? 하는 생각이 들었어요."

"확실히……."

동식물이 마소의 영향을 받는 것이라면, 이론상 정령도 영향을 받을 터다. 단순히 정령에게는 마소에 대한 내성이 있다고 여기는 것은 위험하다고 엘렌은 생각했다.

몬스터 템페스트를 일으킬 정도의 마소에 정령이 정면으로 부딪혔다면 정령도 그냥은 넘어갈 수 없으리라.

"정령이 마소의 영향을 받으면 어떻게 될까요?"

긴장감이 주변에 가득해졌다. 대정령들의 표정은 심각해졌다. 하지만, 한숨과 함께 처음으로 입을 연 것은 아우스톨이었다.

"동물과 같아. 우리도 삼켜질 수 있어. 다만 내성이 있으니, 그렇게 되기까지는 상당한 마소 정체가 필요하겠지만."

"인간계에 있는 평범한 정령이라면, 몬스터 템페스트 정도의 마소 정체로도 충분하다고 생각해. 뭐, 정령은 그 전에 민감하게 알아챌 테니까, 바로 도망치려나?"

리히토가 보충해주었다.

정령이 도망친다는 말을 듣고, 엘렌은 텐바르 왕족의 저주를 떠올렸다.

정령의 저주란 영혼의 힘이 대정령의 힘에 편승하여 저주로 변한 것을 칭한다.

'어쩐지 닮았어…….'

텐바르 왕족을 둘러싼 저주는 어떤 의미에서 몬스터 템페스트와 유사한 현상이 일어난 결과일지도 모른다.

"저 거목이 주위를 지키고 싶다고 돌에 바라고, 그 자리에 고여 있던 마소의 영향을 받았다면. 그리고 그것이 원인이 되어 제정신을 잃었다고 한다면…… 역시 정령이 있었을 가능성이 높아요."

여기까지 오면, 다음에 조사할 장소는 자연스럽게 정해진다.

"가죠. 거목 아래로."

엘렌의 말에 모두는 조용히 고개를 끄덕였다.

제47화 사로잡힌 기억

거목에 도착한 직후, 아크는 주변의 마소 농도를 낮추었다. 그것을 가늠하며, 이번에는 리히토가 거목에 휘감긴 나무와 뿌리를 잘라나갔다.

세 번째인 만큼 둘은 익숙한 모습이었지만, 아크와 리히토가 처음 여기에 왔을 때보다도 거목은 한층 더 주변 나무를 삼키고 부풀어 오른 탓에 중앙의 비석이 드러날 때까지 조금 시간이 걸렸다.

"이제 전부 날려버리는 편이 빠르지 않아?"

귀찮다는 듯이 아우스톨이 중얼거렸다. 검을 뽑고 싶어 근질근질한가 보다.

"어머님…… 그러니까 언제나 여왕님께 혼나는 겁니다."

"아, 시끄러워 시끄러워."

그렇게 아우스톨과 반은 가벼운 대화를 나누었고, 엘렌은 어째서 그 방법을 써서는 안 되는 것일까 생각했다.

그것을 굳이 하지 않는 이유는, 조금 전 아크에게 설명을 들은 마소 순환 때문일지도 몰랐다.

이 일대가 초토화되어버리면, 그만큼 승화한 대량의 마소가 상공으로 단숨에 솟구친 뒤 땅으로 쏟아져 내릴 것이다.

'꼭 산성비 같아…… 그런 게 세계 곳곳에 쏟아지면, 크고 작은

영향이 세계 규모로 일어나고 말 거야. 그래서 어머니는 안 된다고 말씀하신 거겠지.'

그렇게 되면 세계를 관리하는 자들에게는 민폐가 아닐 수 없다. 게다가 이 세계의 관리를 맡은 쪽이 오히려 황폐하게 만들면 어쩌자는 것이냐는 말을 듣기라도 한다면 끝이다.

"그렇지만~ 이 녀석, 언제나 잠만 자고 있으니까 가끔은 써주고 싶단 말이야."

"어머님이 검을 쓰고 싶은 것뿐이잖습니까? 그 검을 깨워서는 안 된다는 말을 들은 지 얼마나 되셨습니까?"

"……자고 있다는 게 무슨 소리인가요?"

아우스톨과 반의 대화에서 신경 쓰이는 단어를 들은 엘렌은 무심코 묻고 말았다.

아우스톨과 반은 서로 마주보며 의아한 표정을 지었다. 그도 그럴 것이, 이 대화는 엊그제 바로 이 자리에서 나누었기 때문이었다.

엘렌은 때마침 생각에 잠겨 있던 탓에 듣지 못했던 것이다.

"말 안 했던가? 이 검 말이야, 자고 있어."

"검이 자고 있다고요?"

"공주님, 어머님이 가지고 있는 검은 정령입니다."

"네?! 그 이야기, 자세히 좀 부탁드립니다!"

이야기를 캐묻는 엘렌의 기세에 두 사람은 놀랐다.

아우스톨의 검은 잠들어 있는 정령이라고는 하나 자아는 없다고 한다. 검집에서 꺼내진 순간 눈을 뜨며, 사용자의 힘을 흡수해 몇 배로 부풀려 방출한다고 한다.

"그걸 정령이라고 부르는 건 어째서인가요?"

"으음, 뭐 살아 있기 때문…… 아닐까?"

"살아 있기 때문에……?"

무슨 의미일까, 하고 엘렌이 생각에 잠겨 있으려니, 옆에 있던 반이 대답했다.

"이 검은 성장한답니다."

"성장?! 우으으, 혼란스러워졌어요! 나무와는 다르게 그 검은 호흡도 하지 않고, 이야기도 하지 않잖아요?"

"나무? 아아, 확실히 나무 같긴 하지."

말하지 않지만, 살아 있으니 성장한다. 아우스톨은 그런 의미로 말한 모양이었지만, 엘렌은 더더욱 혼란의 소용돌이 속에 빠져들고 말았다.

그때 작업을 마친 리히토가 돌아왔다.

"오래 기다렸…… 아니, 엘렌, 왜 그래?"

"아우스톨의 검이 정령이라고 들었는데, 이 검은 어떻게 살아 있는 건가요?"

"뭐?"

"이건 검이지요? 조사해봐도 될까요?!"

엘렌은 무척 흥미진진해했다. 검의 구조를 자신의 힘으로 조사해보려 했지만, 리히토는 쓴웃음을 지으며 그것을 저지했다.

엘렌이 다른 것에 흥미를 가지면 시간이 아무리 많아도 부족하다고 여긴 모양이었다.

"그 검은, 가공된 탓에 시간이 멈춰버린 정령이야."

"네……?"

엘렌의 당황스러움을 이해했는지, 리히토가 설명을 해주었다.

"우리 정령을 간단히 나눈다고 하면, 두 종류가 있지? 짐승이나 식물에서 인간화한 자와 원래부터 인간의 모습을 한 자."

"네."

"그중에서도 식물과 광물은, 사람의 손에 의해 가공되는 경우가 있어. 정령이 되기 직전이었거나, 힘을 가진 정령의 기원이 된 것이 인간에게 발견되어 가공되어버리면, 정령이 그 안에 갇혀버리고 말아."

"그런 일이……?"

"인간계에서는 가끔 발견돼. 인간계에서 이 보석을 가지면 행운이 찾아온다든가 하는 이야기를 들은 적 없니? 힘이 강한 장식품은, 그렇게 갇혀버리고 만 살아 있는 정령이거나 해."

그런 장식품인 경우에도 원래 인간계에 있던 정령이기에 가공된다 해도 그렇게까지 큰 힘은 없다고 한다.

그러나 아우스톨의 검은 달랐다.

"이건 세계의 제약을 거스른 정령의…… 영락한 모습이야."

그런 폭탄 발언을 들은 엘렌은 이번에야말로 굳어졌다.

"세계의, 제약……?"

"엘렌, 우리는 기본적으로 한 가지만 관장할 수 있잖아?"

"아, 네."

"예외로 생각할 수 있는 건, 다른 속성을 관장하고 있는 자야. 로벨 형님과 엘렌이 그 필두지."

"그건…… 인간으로서의 속성과 정령으로서의 속성이라는 의미인가요?"

"맞아. 엘렌은 거기에 더해서, 여신이라는 속성도 갖고 있지."

"네……?"

"어머니가 여신, 로벨 형님이 인간과 정령. 그중에서도 여신의 속성은 특수한 일을 하지 않으면 이어지지 않을 만큼 특별해."

특수한 일이란 대체 무엇일까. 망연한 엘렌의 동요를 눈치채지 못하고 리히토는 설명을 계속했다.

"우리가 각자 관장하는 속성 이외의 힘을 쓰지 못하는 건 당연하고, 그것과는 별개로 세계의 제약이라는 것이 있어. 그것은 이 세계를 위험에 빠뜨리는 행위를 미연에 방지하기 위함이지."

그것은 이전에 오리진도 설명했던 적이 있다.

마소의 흐름을 관장하는 아크가 그것을 멈추는 것도 가능한지 물었을 때였다. 마소의 흐름을 멈출 수 있다면 세계가 죽는다. 그것을 미연에 방지하기 위해, 아크는 마소의 흐름을 멈출 수 없다.

그것이 세계의 제약이라고 오리진은 설명했다.

아우스톨의 검은, 그 제약을 깨려 한 위험한 대정령을 봉인이라는 형태로 도구로 가공한 「정령의 영락한 말로」라고 한다.

엘렌은 교육을 받을 때 「위험한 짓을 하면 잡혀서 봉인된다」라는 막연한 설명을 들은 적이 있었다.

그때는 아무 생각 없이 전생 전의 기억을 떠올리며 독방 같은 것을 상상하고, 정령으로서의 힘을 봉인당하는 것이라고만 여겼다. 설마 가공되어 갇혀버리고 만다고는 생각도 하지 못했었다.

엘렌은 전생 전의 상식을 처음부터 갖고 있던 탓에 묘하게 박식했다. 그렇기에, 이러한 정령계의 상식을 배울 때는 아무래도 필요 없을 것 같다며 간단히 넘어가 버렸던 모양이었다.

"처음 들어요!"

"어? 아아~ 그러고 보니 엘렌의 교육 담당은 로벨 형님이었던가? 그렇다는 건, 인간계의 상식만 배웠던 거려나?"

"오리진 님께서 공주님의 힘이 깨어난 다음에 배우면 돼~ 라고 말씀하셨습니다."

"어머니가 제일 큰 원인이었어!"

"그러고 보니 여왕이 말했었지. 아직 공주님 힘의 제어가 이러니 저러니하고. 그거 끝난 다음부터 가르치려고 했던 거 아닐까?"

"그런 건 미리 가르쳐줬으면 좋겠거든요!"

"공주님은 박식하니까 이미 알고 있을 거라고 생각했을지도?"

"네에에—?! 무슨 일이 벌어진 다음엔 이미 늦다고요!"

이건 정령성으로 돌아가는 대로 공부 결정이라며 엘렌은 하늘을 올려다보았다.

실제로 지금도 그랬다. 그 검의 이치를 안 지금이기에 깨달은 것이 있었다.

"처음부터 그걸 알고 있었다면……! 어렴풋하게나마 이 섬의 전

모를 알았습니다."

엘렌의 말에 다른 면면이 놀람과 당황의 표정을 지었다. 엘렌은 총총 비석 앞으로 이동했다.

눈앞에 있는 비석에 파묻힌 탄자나이트. 이것이 조금 전 설명 들은 가공된 정령이라고 가정한다면, 모든 것들이 연결되는 것이다.

"이 나무는 가쥬마루…… 정령이 깃든다고 알려진 이 나무조차도 몬스터 템페스트의 영향을 피하지 못했고, 가공이라는 틀에 갇힌 정령이라고 여겨집니다."

"설마!"

엘렌의 말에 리히토가 경악하는 소리를 냈다. 그러나 가공되어버렸다고 한다면, 정령이 발견되지 않는 것도 납득이 되었다.

"가쥬마루에 깃든 정령은, 아마도 이 아래에 잠들어 있는 인간과 계약했을 거라고 가정해보죠. 계약자의 사후에도 정령은 줄곧 지켜보고 있었다……."

이 비석은 약 2백 년 전에 만들어진 묘라는 애슈트의 조사가 엘렌의 말을 뒷받침해주었다.

"계속 지켜왔건만, 몬스터 템페스트로 흉포화한 동물들에게 상처를 입었다. 정령은 도망치지 않고 묘를 지키려 했다. 그 탓에 마소의 영향을 제대로 받고 말았다."

하지만 혼자 힘만으로는 묘를 지키기에 부족했다. 그래서 묘비로 쓰인, 가공되어 잠들어 있던 정령에게 도움을 구했던 것은 아닐까.

"두 개의 힘이 상승효과를 만들어냈고, 이 섬의 식물 전부를 세

뇌했다. 비석을 망가뜨릴 위험이 있는 동식물을 배제하면 적은 사라진다…… 하지만, 마소의 영향을 제대로 받은 탓에, 의식이 지키겠다고 하는 마음 하나로 전부 덧칠되고 말았다."

엘렌이 비석을 올려다보자, 마치 탄자나이트가 긍정하는 것처럼 빛난 듯한 느낌이 들었다.

"하지만 만약 그렇다고 해도, 이 뒤틀린 마소를 해방시키려면 어떻게 해야 하지?"

단도직입적인 리히토의 질문을 받고서 엘렌은 리히토 쪽을 돌아보았다.

엘렌은 해보고 싶은 것이 있었다. 조금 전 애슈트의 조사 방식을 보다 떠올린 것이다.

"기억에 얽매여 있다면, 그걸 지워버리면 되지 않을까 하고 생각했어요."

"……어떻게?"

"어머니는 제가 정화를 관장하는 여신이라고 하셨어요. 그건 아마도, 제 나름대로 할 수 있는 정화의 방법일 거라고 생각해요. 쌍둥이 여신이 저를 이곳으로 보낸 것도 제가 그것을 하리라고 내다보았기 때문……."

모두가 어리둥절하며 놀란 얼굴을 하고 있었다. 엘렌은 결의한 표정으로 선언했다.

"물질에 잔류해 있는 전자에 접촉해서 기억을 읽어내고, 가능한 한 소거하겠습니다."

애슈트의 힘을 보고 깨달은 것이 있었다.

엘렌 자신도 스스로의 힘을 써서 광물의 정보를 끌어낼 수 있었는데, 어째서 그 사실을 지금까지 깨닫지 못했던 것일까.

엘렌의 시야가 트였다. 기어코 광물에 포함된 전자를 해독하고 새겨진 기록을 읽어낼 수 있을 것이라는 발상에 이르렀다.

엘렌은 힘을 해방했다.

주변에 가득한 전자를 읽어내고, 기억으로 재생시킨다.

그것은 엘렌의 뇌에, 마치 영화를 보는 듯한 광경처럼 비추어졌다.

*

아직 이 섬에 사람이 살던 시절. 2백 년 전의 세계에서는, 유적이 있던 장소를 중심으로 사람이 모여 살고 있었다.

유적 주변에는 원시적이기는 했지만, 밭과 방목하는 모습과 돗자리에 앉아서 무언가를 만드는 사람들의 모습이 단편적으로 보였다.

그 영상들은 마치 닳아서 떨어진 앨범의 상처처럼 뚝뚝 끊어지곤 했다.

그중에서도 유달리 색채를 띤 듯 선명한 영상이 비추어졌다. 청년과 작은 새의 모습을 한 작은 정령. 사이 좋은 둘은 나무 그림자 아래에서 무언가 즐겁게 대화를 나누고 있었다.

해가 기울자 청년이 정령에게 작별을 고했다. 정령은 조금 아쉬운 듯 인사를 했다.

손을 흔드는 청년에게 정령이 「내일 봐」 하고 크게 손을 흔들었다. 아무것도 들리지 않았지만, 그런 약속을 하고 있으리라고 이해할 수 있는 광경이었다.

정령은 힘이 별로 없는지, 그 나무에서 떨어지지 못하는 듯했다.

나무가 성장할수록 정령은 조금씩 커져갔지만, 그와는 대조적으로 청년은 빠르게 나이를 먹어갔다.

순식간에 청년은 죽음을 맞이했고, 정령은 비탄에 잠겼다.

청년의 유언이었는지, 나무뿌리 아래에 그가 묻히고 묘비가 세워지는 광경이 보였다.

그 비석에 박혀 있는 탄자나이트가 정령의 눈물과 함께 황혼 속에 녹아들었다.

정령이 깃든 나무는 성장하면 할수록, 그 묘비를 지키려 하는 것처럼 뿌리를 뻗어갔다.

그런 때에 비극이 일어났다. 몬스터 템페스트였다.

동물들이 인간을 습격하고, 주변을 피바다로 만들었다. 그것만이 아니었다. 폐쇄된 섬에서는 한계가 있었는지, 이번에는 동족상잔의 살육이 일어나기 시작했다.

주변의 나무를 베어 넘기며 상처 입히는 동물들은, 이 정령이 깃든 나무에도 이빨과 발톱을 들이댔다.

기억은 거기서, 뚝하는 소리를 내며 끊겼다.

다음에 비친 것은 빈틈없이 덧칠된 단 하나의 마음뿐. 「지킨다」는, 그저 그 마음만이 영원히 반복되며 시야 가득 펼쳐졌다.

'이게…… 이 나무에 잠들어 있는 정령의 기억.'

하지만, 점점 중얼중얼 작게 무언가가 들려오기 시작했다. 그것은 슬픔의 목소리였다.

청년과 두 번 다시 만나지 못하는 슬픔의 목소리. 지키겠다는 맹세에서 비롯된 영원한 고통.

슬퍼, 슬퍼 하고 들려온 목소리에 엘렌은 가슴이 아팠다.

'이건 자칫 잘못했다면 아버지와 어머니의 미래가 되었을 수도 있는 광경이야…….'

인간과 정령은 계약은 가능해도, 평생을 함께할 수는 없다고 한다. 살아가는 시간이 다르기에, 그것은 어찌할 수 없는 일이었다. 그렇다 해도 너무나도 슬펐다.

감정에 구속된 정령의 감정이, 텐바르 왕족에게 달라붙은 동포들의 저주의 목소리와 겹쳐져 들린 듯한 기분이 들었다.

몬스터 템페스트의 영향으로 뒤틀리고 만 정령. 이 사로잡힌 기억을, 엘렌은 풀어주고 싶다고 생각했다.

엘렌의 힘을 받고서 비석에 박혀 있던 탄자나이트가 빛났다.

탄자나이트에는 정령이 깃들어 있다고 하는 구전 외에도 힘이 있었다. 그중 하나가, 잠재의식을 깨워서 잠들어 있는 힘을 끌어내는 것.

거기에 더해 「자기 계발」. 그리고 「신의 제시」다.

엘렌은 힘을 해방했다. 잔류한 전자 정보를 하나하나 분산시켜

지워갔다.

그 입자는 조금씩 하늘로 올라가듯 사라져갔고, 그리고 마지막에는 새하얘졌다.

*

엘렌에게서 발해진 빛이 어찌나 눈부신지, 주변에 있던 이들은 눈을 감았다.

그 빛이 잦아들자 주변의 모습이 완전히 달라졌다.

비석을 지키듯이 감싸고 있던 나무가 차례차례 시들고, 마르기 시작한 것이다.

"……설마, 풀어져?"

아크가 눈을 부릅뜨며 놀랐다. 엘렌 주변에는 빛의 입자가 넘쳐났고, 그것이 하늘로 올라가는 광경이 펼쳐지고 있었던 것이다.

"이게…… 공주님의 힘."

성스러운 엘렌의 빛에 주변 사람들은 압도되었다.

정화되어가는 동시에, 주변 나무들은 힘을 잃어갔다.

그리고 마지막에는 충격파가 엘렌을 중심으로 퍼져나갔다. 그 힘에 모두가 휘청거렸다.

그러나, 몸을 통과해 지나간 힘은 은은하게 따뜻한 힘이었다.

다정하게 마음을 쓰는, 엘렌의 힘의 편린. 용서의 마음으로 가득한 신성한 여신의 힘에 대정령들은 자연스레 무릎을 꿇었다.

빛이 잦아든 직후에 본 것은, 모두가 무릎을 꿇고 엘렌에게 고개를 숙이고 있는 모습이었다.

"……어라?"

엘렌의 당황한 목소리에 리히토가 고개를 들었다.

"진정한 각성, 축하드립니다."

"저기, 리히토 오라버니?"

어쩔 줄 몰라 하며 엘렌은 잇따라 물었다.

"저기, 여러분 왜 그러세요? 아, 잘 됐나요? 조금 정신없이 푹 빠져서 주변을 새하얗게 해버렸는지도 모르겠는데요……."

당황한 평소와 같은 엘렌의 모습에 리히토는 훗 하고 웃었다.

"역시 내 여동생이야!"

와락 하고 리히토에게 끌어안긴 엘렌은 답답함에 신음했다.

"뀨우으……."

"다음, 내 차례."

아크도 엘렌을 안고 싶다며 양팔을 펼치고 있었다. 엘렌은 그보다도 잘 해결되었는지를 몇 번이고 물었다.

『공쥬님, 새하얘졌어!』

"괜찮아, 마소, 풀렸어."

아크가 엘렌에게 고개를 끄덕여 보였다. 이 땅의 뒤틀린 마소는 엘렌에 의해 정화된 것이다.

"역시 공주님이십니다!"

"그것참~ 대단한 걸 봤어. 그 녀석한테 자랑해야지."

딸의 성장을 보지 못한 로벨이 분해 하는 모습을 상상한 아우스톨이 「이히힛」 하고 꿍꿍이 가득한 웃음을 지었다.

아무래도 잘 해결된 모양이었다. 그 사실에 엘렌은 안심했다.

엘렌은 말라버린 용수를 올려다보았다. 시들어 색이 빠진 거목은 그 잎을 계속해서 흩뿌리고 있었다. 이대로 잠시 있으면 뿌리부터 썩어 쓰러질지도 모른다.

"나무가 넘어갈지도 몰라요. 서둘러 이곳을 벗어나죠."

엘렌이 그렇게 제안하자 모두가 고개를 끄덕였다.

그때였다. 비석에 박혀 있던 탄자나이트가 일순 빛난 느낌이 들었고, 엘렌은 무심코 그쪽으로 시선을 돌렸다.

그러자 비석이 후두둑 무너져내리는 것이 보였다.

"앗!"

"엘렌의 정화에 나무의 정령만이 아니라, 그 돌의 힘도 정화된 거 아닐까?"

리히토의 말에 동의하듯이 비석에 박혀 있던 탄자나이트 원석이 달칵하는 소리를 내면서 빠지더니, 엘렌의 발밑으로 데굴데굴 굴러왔다.

엘렌의 주먹보다 크니 적어도 몇 킬로그램은 되리라.

엘렌이 양손으로 영차 하고 들어 올려서 돌을 빤히 바라보았다. 놀랍게도 거기에는 인간 모습에 날개가 달린 작은 정령이, 마치 잠들어 있는 것처럼 돌 중심에 자리 잡고 있었다.

날개는 새의 날개 같았다. 옛날이야기에서 나오는 인면조 하피 같았다.

그 날개 색이 눈에 익었다. 거목에게서 읽어냈던 기억 속 새였다.

"앗……?!"

엘렌은 허둥지둥 다른 이들에게 그 돌을 보여주었다. 그러자 리히토가 중얼거렸다.

"역시 그랬군. 엘렌의 예상대로 가공되어 있었네. 하지만 보통, 가공된 정령은 보이지 않는데. 이건 특이한걸."

"마소, 영향, 받은 것 같아."

"호오, 마소 정체가 이런 식으로 영향을 주는 건가."

『애슈도 보고 싶어—!』

발밑의 애슈트가 폴짝폴짝 점프하며 열심히 돌을 보려 하고 있는지라, 엘렌은 애슈트가 보기 편하도록 몸을 숙여주었다.

"안에 갇혀 있는 정령은, 깨어나거나 할까요?"

"아니. 살아는 있어도, 영원히 잠든 채야. 가공되어버렸으니까."

"…………그런가요."

"엘렌의 발치로 왔다는 건, 함께 데려가 주길 바라는 걸지도 몰라."

"네? 네에? 가지고 가는 건가요? 이걸?"

리히토의 말에 엘렌이 당황한 목소리를 냈다.

"괜찮잖아. 가지고 돌아가서 방에 장식이라도 해둬."

"정령인데 설마 싫은 장식품 취급……."

"무슨 소리야. 내 것도 검이거든?"

"아, 그러네요!"

엘렌은 웃음 지으면서, 이것도 어떤 인연일지도 모른다며 탄자나이트를 품에 안고 가지고 돌아가기로 했다.

"여러분, 고생하셨어요. 그만 돌아가죠!"

엘렌의 목소리에 재촉을 받은 모두는 그 자리를 뒤로했다.

제48화 새로운 숨결

"지쳤다~."

정령성으로 돌아온 이들은 그대로 축 늘어졌다.

그 후, 로벨과 오리진이 기다리는 침실로 이동해 보고했다. 엘렌이 무사히 여신의 힘을 각성한 것은 수경을 통해서 알고 있던 모양이었다.

"엘렌의 성장을 바로 곁에서 지켜보지 못했어……!"

엉엉하고 우는 로벨의 모습에 엘렌이 몹시 질려 했다.

"수경으로 보고 있었잖아요?"

"정말이지~ 로벨도 참. 바로 전이해서 엘렌 곁으로 가려고 하기에 매달려서 붙들어뒀다니까!"

해냈다며 웃는 오리진의 표정은 밝았다. 몸 상태는 괜찮으신가요? 하고 묻자 많이 좋아졌다고 한다.

"다행이에요!"

"미안해. 어째서 그렇게 불안에 시달렸는지 모르겠어."

"그럴 때도 있는 거예요."

"그런 걸까?"

"네."

레벤과 클리렌이 붙어 있었으니, 병 걱정은 하지 않아도 될 듯했다. 그 사실에 안심하며, 한층 더 친밀해진 부모님의 모습에 엘렌은 미소 지었다.

그 섬에서 본 영상이 다시 떠올랐다. 한 걸음만 잘못 내디뎠다면, 부모님도 그 둘처럼 되었을지도 모른다.

그 오리진조차도 말했었다. 엘렌은 기적 같은 존재라고.

사이좋은 두 사람을 보며 엘렌은 한층 더 가족을 사랑하는 마음이 커지는 것을 느꼈다.

그러던 때, 문득 침실 상공으로 전이해 온 정령이 있었다. 아크였다.

"어라? 어쩐 일이니?"

"……여신, 마소, 빙글빙글."

아크는 심각한 얼굴을 하고서 오리진에게 말했다.

"무, 무슨 일인가요?"

"서둘러. 결계, 서둘러."

"결계라고……?"

아크가 심각한 얼굴로 로벨에게 결계 마법을 쓰라고 재촉했지만, 로벨은 의아한 표정을 지을 뿐이었다.

"어디에 결계를……."

로벨이 구체적인 지시를 요구하려던 그 순간, 방 안에 충격파가 퍼졌다.

"어?"

쿠우우우우우우웅—, 하고 지축이 흔들리는 소리와 함께, 엘렌의 바로 뒤쪽 벽이 무너졌다.

"어……?"

놀란 엘렌과 로벨을 무시한 채, 아크가 조용히 말했다.

"늦었어."

쿠우우우우우우우우우우웅—, 하고 두 번째 충격파가 찾아왔다.

"으아아아아?!"

차례차례 파괴되는 침실의 모습에 엘렌은 비명을 지르며 머리를 감싸고 몸을 웅크렸다.

로벨은 엘렌과 오리진을 지키기 위해 서둘러 결계를 펼쳤다. 정령성은 몹시 소란스러웠다.

"마소, 빙글빙글, 조금 풀게. 하지만, 힘이 잘, 안 들어가."

아크는 담담하게 오리진을 향해서 천천히 팔을 움직였다.

오리진의 하복부가 빛났다. 그것을 보고 로벨이 설마설마 하며 중얼거렸다.

"설마, 임신인가……?"

놀라 오리진을 바라보는 로벨의 모습에, 오리진이 「어머나」 하고 목소리를 높였다.

"어머 어머~! 몰라~! 정말~?!"

진심으로 기뻐하며 오리진이 환희에 차 소리를 질렀다.

"정말이야? 정말 맞아?!"

허둥대면서도 로벨은 오리진을 끌어안았고, 오리진과 서로 마주보았다. 기뻐하는 두 사람의 모습에 엘렌도 천천히 사태를 받아들였다.

엘렌에게 남동생이나 여동생이 생기는 것이다.

"어머니, 진짜인가요……?!"

엘렌이 오리진에게 매달리자, 두 사람은 엘렌을 사이에 두고 꼭 끌어안았다.

오리진의 상태가 좋지 않았던 이유는 임신 때문이었던 것이다.

"입덧이었구나~. 정말~ 또 방이 부서지겠어~."

"네에? 설마 이게, 입덧인가요?!"

충격파가 오다니 어찌 된 것이냐고 묻자, 배 안의 아기와 모친의 속성이 달라서 두 힘이 서로 반발하기 때문이라는 답이 돌아왔다.

참고로 사람처럼 토하거나 하는 일은 없다는 모양이었다. 정령은 그다지 먹지 않기 때문에, 그러한 걱정은 없다고 로벨에게 설명을 들었다.

"엘렌 때보다 훨씬 나은걸! 엘렌의 속성은 나랑 정반대라, 그땐 정말 힘의 반발이 대단했어."

"네에에? 왠지 죄송해요!"

그런 대화를 나누는 엄마와 딸 옆에서, 로벨이 귀기 어린 모습으로 정령들에게 차례차례 결계를 펼치라고 명령했다.

"저기…… 아버지는 무얼 하시는 건가요?"

"내가 출산을 하게 되면, 다른 정령과 다르게 입덧도 대단하거든. 정령성이 반파되지 않도록 로벨이 결계를 강화하고 있는 거란다."

"으아아아……."

정령으로서 인간으로서, 여러 가지 알아야 할 것이 많았다. 이번에는 그런 점을 많이 느꼈다.

"엘렌도 언니가 되는 거야."

가족이 늘어난다. 그 말에 엘렌은 기쁨으로 넘쳐흘렀고, 만면에 미소를 지어 답했다.

얼굴이 풀어진 채로 로벨과 엘렌은 반크라이프트가로 보고를 하러 갔다. 그러나 막상 반크라이프트가에 가보니, 어째선지 저택이 소란스러웠다.

로벨과 엘렌이 얼굴을 마주 보면서 방문을 알리자, 쏜살같이 달려온 라필리아가 엘렌에게 기쁨을 드러내며 소리쳤다.

"엘렌—! 들어봐, 들어봐! 새엄마가 임신했어! 나한테 동생이 생긴대!"

"뭐……?"

이 무슨 타이밍인지. 리리아나의 임신 소식에 엘렌과 로벨도 놀라며 소리쳤다.

*

그리고 다시 며칠이 지났을 때, 가디엘이 또 경과보고를 하러 반크라이프트를 찾아왔다.

최근 사우벨과 로벨은 아내의 상태가 신경 쓰여 그 곁에서 떨어지기 어려운지, 매일 허둥대며 보냈다.

지난번의 왕족 방문으로 엘렌이 대응해도 괜찮다고 인식되었는지, 이번에도 엘렌과 반과 카이, 그리고 어째서인지 아우스톨이 그 자리에 동석했다.

가디엘 쪽은 라베, 트루크, 포겔이 함께했다.

"한 번에 많은 소식을 들었다. 축하한다. 축하 선물을 가져왔으니 받아주길 바란다."

그렇게 말하고 가디엘은 갓난아기용 포대기 등을 잔뜩 선물했다.

호위로 세 사람이나 데려온 것은 그저 짐을 나르게 하기 위함이었다는 사실을 깨달은 엘렌은 쓴웃음을 지었다.

"폐하는 소식이 빠르시군요."

"사우벨 님이 풀어진 얼굴로 언제나 안절부절못하고 있으니 알기 쉬우셨나 봐."

"숙부님……."

눈에 선하다며 웃는 엘렌을 보며 가디엘도 미소 지었다.

그 후, 두 사람은 지난번 엘렌이 한 제안의 뒷부분과 거래 상황 경과 등을 서로 보고했다.

한바탕 일 이야기가 마무리되자, 바로 잡담이 오갔다.

"아, 지난번에는 가르쳐주셔서 감사했습니다."

"응?"

무슨 말이냐며 가디엘이 묻자, 예의 탄자나이트 일화— 블루 조이사이트에 관한 것이라고 엘렌이 답했다.

"아, 그래. 도움이 됐다면 다행이야."

"덕분에 금세 문제가 해결되었습니다."

"문제? 무슨 일이 있었던 건가?"

"어떻게 말하면 좋을지……."

엘렌은 수백 년 전에 정령과 계약한 청년의 이야기를 요약해서 들려주었다.

대략적인 이야기가 끝나자 가디엘은 조용히 말했다.

"나로서는, 그 청년이 부러운걸……."

"네?"

"정령과 계약할 수 있다는 점도 그렇지만, 죽어서도 정령에게 그토록 사랑받았다는 게 부러워. 내게는 전부 기대할 수 없는 것들일 테니까……."

"가디엘……."

"정령 측에서 보자면, 어떤 의미에서는 이 저주와 마찬가지일 테지. 같은 마음에 사로잡혀 있었을 괴로움은 확실히 전해지지만…… 역시 부럽다는 생각이 들고 말아."

전혀 기대할 수 없기에 더욱, 슬프다 할지라도 그 슬픔조차 부러웠다.

가디엘의 말에 엘렌은 어쩐지 허를 찔린 기분이 들었다. 저주의 기억을 접했던 그가 그런 식으로 생각하리라고는 예상하지 못했던 것이다.

그때의 기억을 접한 가디엘은, 엘렌에게 사죄하고 싶다며 언제나 반크라이프트가를 찾아왔었다.

'부러운, 일…….'

엘렌은 하나의 마음에 사로잡힌 정령의 슬픔 쪽에 동조하는 마음이 강했다.

입장이 다르고 보는 시점이 다르기에 나온 의견이라며, 엘렌은 새로운 심정으로 청년과 정령의 이야기를 떠올렸다.

청년과 정령은 슬픔으로 이어질 만큼 서로를 생각하는 마음이 강했던 것이라고.

"저기…… 엘렌, 부탁이 있는데."

"네?"

어째선지 머뭇머뭇하는 가디엘. 그 등 뒤에 서 있는 호위 세 사람은 무언가 가디엘을 응원하고 있는 듯 보였다.

"그, 블루 조이사이트를 갖고 돌아와서 장식해두었다고 했었잖아?"

"네."

"정령이 잠들어 있는 모습이 보인다고 하는 건 정말이야?!"

반짝반짝 빛나는 눈을 한 가디엘의 모습에 엘렌은 휙 전이해 사라졌다.

"응? 어라? 엘렌?"

"고, 공주님?!"

당황한 반의 목소리가 공허하게 방 안에 메아리쳤고, 곧이어 엘렌이 다시 돌아왔다.

그 양손에 쥐고 있는 것은 블루 조이사이트 원석이었다. 아무래도 정령성에 가지러 다녀온 모양이었다.

"크다……!"

엘렌이 가져온 원석을 눈앞에서 보게 된 트루크가 무심코 소리쳤다.

"엄청나게 크군……."

가디엘도 놀랐다. 인간계에서 이 크기는, 국보급일지도 모른다.

"보여드리는 건 딱히 상관없지만, 일단 정령이니까…… 뭔가 변화가 보인다면 바로 떼어놓겠습니다."

"아, 그래. 물론이지."

가디엘의 저주에 반응해서 무슨 일이 일어날지 알 수 없다며 엘렌은 못을 박아두었다.

돌을 테이블 중앙에 내려놓고서 엘렌은 거리를 두었다. 가디엘은 조심스럽게 다가가 돌을 들여다보았다.

그 모습을 보고 있으려니, 엘렌은 어쩐지 예전의 자신이 떠올랐다.

'나도 원석을 볼 때 저런 표정을 짓고 있으려나.'

두근두근 설렌다. 그런 말이 어울리는 표정이었다.

원석을 매우 좋아하는 몸으로서, 원석에 흥미를 보인다는 것만으로도 동료 의식이 싹텄다. 거절할 이유 같은 건 어디에도 없었다.

"이건……!"

"멋지다!"

"오오…… 이런 돌은 처음 봤습니다."

감탄의 목소리가 가디엘 일행 사이에서 들려왔다. 잠든 정령이 갇혀 있는 원석은, 인간계에서도 정령계에서도 보기 드물었다. 좀처럼 볼 수 없는 물건이다.

"정말 아름다운 블루 조이사이트야…… 게다가 정령까지."

좀 더 들여다보려던 가디엘은 퍼뜩 놀란 얼굴을 하며 엘렌을 보았다.

"조금 더 가까이 가도 괜찮을까?"

"……아직까지는 괜찮은 것 같습니다."

"그, 그래!"

엘렌과 눈짓을 해가며 가디엘이 슬금슬금 다가가는 모습은 보기에 제법 재미있었다.

그 모습을 보고 있던 아우스톨이 무심코 입을 열었다.

"딱히 도련님이 만져도 괜찮지 않아? 그 마소 정체의 중심에 있던 돌이니까."

"아…… 그러고 보니 그러네요."

"내, 내가 이걸 만질 수 있는 거야?!"

과연 가디엘이 만질 수 있을까? 어떤 변화가 생길까?

그런 상상을 하고 있던 탓인지, 엘렌의 상태를 눈치챈 반이 어딘가 먼눈을 했다.

"공주님…… 실험이라는 걸 하고 싶어서 견딜 수 없는 얼굴을 하고 계십니다."

"뭐? 어? 그, 그렇지 않은데?!"

검증하고 싶어서 근질근질하던 엘렌은 무심코 자신의 두 볼에 양손을 올리며 소리쳤다.

"왜 그러지? 뭔가 신경 쓰이는 거라도 있어?"

"공주님은 한 번 관심이 생기면 시험해보지 않고는 견디지 못하십니다……."

"우으……! 반 군, 그런 걸 지금 폭로할 건 없잖아!"

"무슨 말씀이십니까…… 성을 탐색했던 그 무렵에는 정말이지 큰 일이라……."

"반 군!"

"성을 탐색? 아아, 혹시 탐험인가? 나도 좋아해. 새로운 곳은 두근두근하지."

"그, 그런가요? 그렇지요?!"

"그래. 그러니까 신경 쓸 것 없어. 엘렌이 궁금한 게 뭔지 가르쳐줬으면 해."

"……가디엘은 유도신문에 능숙해졌네요."

"거기에 엘렌은 걸려주지 않지만."

"정말~. ……제가 아는 블루 조이사이트에는, 인간계와는 다른 이야기가 있어요."

"응?"

"성공과 행운을 상징하는 부적으로 유명하고, 슬픔을 치유해준다고들 해요."

"슬픔을, 치유한다고……?"

"슬픔, 분노, 불안, 절망…… 그런 기분을 달래준다고 하죠."

"그런가……."

그 슬픔은 마치 가디엘에게 쓰인 그 저주 같다고도 받아들일 수 있을 듯했다.

"정화…… 그런 힘이 있다나 봐요."

엘렌의 그 말에 놀란 것은 가디엘만이 아니었다. 엘렌의 뒤에서 대기하던 사정을 아는 면면들도 마찬가지였다.

"정화……."

그 말을 듣고서 가디엘은 원석에 머뭇머뭇 손을 뻗었다. 모두가 긴장한 표정으로 그 모습을 바라보고 있었다.

이윽고, 가디엘의 손가락이 돌에 톡 닿았다. 그 충격은 가디엘에게 몹시 컸는지, 무심코 움찔하며 손가락을 뗐다. 그러나 아무런 일도 일어나지 않았다는 것을 깨달았다.

"……만진 거야?"

"그런가 보네요."

"내가, 이걸 만진 건가……?"

다시 확인하듯이 가디엘은 원석으로 손을 뻗고, 살며시 쓰다듬었다.

"만졌어…… 정령이 잠들어 있는 돌인데, 내가 만지다니……."

가디엘의 목소리가 감동으로 떨렸다.

방 안이 정적에 휩싸였고, 가디엘은 살며시 원석을 엘렌에게 돌려주었다. 그러나 그 얼굴에는 아쉬움과 집착이 그대로 드러나 있었다. 그것을 이성으로 억누르며 가디엘은 포기하려는 모양이었다.

지난번에 만났을 때, 가디엘은 원래 블루 조이사이트를 갖고 싶어 했다는 이야기를 들었었다. 게다가 이 돌에 얽힌 이야기를 듣고

서 부럽다고까지 말했다.

그런 사람에게 자랑하듯이 돌을 내보인 엘렌의 마음속에서 죄악감이 생겨났다. 먼저 눈치챘어야 했던 것이다.

'하지만 가디엘 쪽에 있어도 문제가 없는 거라면, 딱히 상관없지 않을까?'

문득 그런 생각을 했다.

권력도 재력도 가진 왕자가 원한다고 말하지 않는다. 아니. 말할 수 없다고 이해하고 억지로 참고 있는 모습을 보고, 엘렌은 쓴웃음을 지었다.

"드리겠습니다."

"…………………………뭐?"

엘렌의 말을 이해하기까지 몇 초나 걸린 가디엘은 다시 한번 되물었다.

"엘렌……? 무슨 말이야?"

"필요 없으신가요?"

"아니, 눈이 돌 정도로 갖고 싶기는 하지만……!"

"이 돌은 어떤 인연으로 제게 왔습니다. 하지만 그건 어쩌면, 이 돌이 당신 곁에 오고 싶었기 때문일지도 모릅니다."

"내, 내 곁에……?"

"그도 그럴 것이, 가공되어 잠들어 있다고는 해도 살아 있는 정령이 당신의 저주에 반응하지 않은 걸요. 그건 이 돌이 가진 힘의 작용일지도 모르지만, 그런 우연이 과연 있을까요?"

엘렌의 말에 놀란 이들을 무시한 채, 엘렌은 이야기를 이어나갔다.

"마소 정체를 견뎌낸 돌이면서, 정화 작용까지 있으니 저주가 듣지 않는 것일지도 모릅니다. 그런 우연이란 게, 평범하게 살다가 만날 수 있는 걸까요?"

가디엘이 그런 우연을 만날 수 있다고 한다면, 그건 그야말로 천문학적인 확률이리라.

그렇기에, 지금이 그때일지도 모른다고 엘렌은 말했다.

"뭐, 그 대신에 앞으로도 융통성 있게 부탁드립니다."

빈틈없는 엘렌의 말에 가디엘은 울 것 같은 표정을 지으면서도 웃었다.

*

결계를 강화한 정령성에서는 로벨이 오리진의 배를 다정하게 쓰다듬고 있었다.

로벨과 오리진이 단둘이 되었을 때, 로벨은 오리진에게 감사를 전했다.

"오리는 나를 정말 행복하게 해줘. 정말 고마워."

"우후후. 또 시끌벅적해지겠어."

"그러게."

행복함에 푹 빠진 로벨은 어리광쟁이였던 오리진과 입장이 바뀌어버린 것처럼 그녀에게 응석을 부렸다.

키득키득 웃으면서 딱 붙어 있는 두 사람의 모습에, 주변은 방해가 되지 않도록 주의를 하고 있는지 아무도 모습을 드러내지 않았다.

"다음은 어느 쪽일까? 남자아이가 태어난다면 여신이 아니라…… 남신? 이 되는 건가?"

"여신은 엘렌뿐인걸?"

"응?"

"여신이 되는 데는 제약이 있어. 엘렌은 태어나기 전에 그 제약을 완수했기 때문에 여신의 소질을 갖추었지. 이 아이는 평범한 나와 당신의 아이야."

"그러니까…… 평범하다는 말이 잘 이해되지 않는데."

"이해하지 못해도 괜찮아. 나와 당신 아이라는 것에 변함은 없는걸."

"그렇, 지?"

납득이 되지 않았지만, 여신이라는 것에 관해 가르쳐준다고 해도 로벨은 이해하지 못할지도 모른다.

이전에 오리진에게 들은 적이 있었다. 아버지인 세계의 제약으로, 세계에 관한 것은 말할 수 없다고.

이것도 또한 그중 하나일지도 모른다.

로벨은 오리진에게 다가가 어깨를 감싸 안았다.

"우후후. 그렇게나 엘렌 옆에서 떨어지질 않더니. 요즘은 어떻게 된 거야?"

"……엘렌도 걱정이지만, 당신도 걱정돼. 짓궂은 말 하지 말아줘."

로벨은 어깨를 축 늘어뜨렸고, 오리진은 그런 그의 머리를 쓰다

듣어주며 위로했다.

엘렌을 임신했을 때는 입덧이 먼저 왔었다. 그때와 달리 오리진이 열이 났던 게 은근히 신경 쓰이는 모양이었다.

"엘렌도 어른이 되려고 하고 있어. 이번에 그걸 잘 알았지."

"과보호라는 자각은 있어."

살짝 삐친 로벨의 모습에 오리진은 어머나 하며 웃었다.

"당신을 독차지할 수 있어서 나는 기쁘지만, 이번엔 엘렌이 질투하지 않을까?"

"뭐?"

"엘렌이 같이 있어 달라고 하면 어쩔래?"

"딱 붙어 있어야지!"

"역시나."

오리진은 깔깔거리며 웃었고, 로벨은 조금 기뻐하며 말했다.

"엘렌은 질투해주려나?"

"………………과연 할까?"

"그렇게 골똘히 생각하지 마!"

살짝 푸념이 담긴 로벨의 말에 오리진이 참지 못하고 웃었다.

"당신, 어제 눈치챘어? 엘렌이 몰래 우리 모습을 살피러 침실로 왔었어."

"뭐? 나는 자느라 몰랐나?"

"응. 내 상태가 신경 쓰여서 얼굴을 보러 온 것 같았는데, 옆에서 자는 당신을 보고 참을 수 없다는 얼굴을 하더라."

"응? 뭔가…… 장난이라도 친 거야?"

코를 잡았다든가, 웃긴 얼굴을 했다든가. 때때로 엘렌은 로벨에게 그런 장난을 치며 놀기도 한다는 소문은 들었다.

"나랑 당신 사이에 슬쩍 파고들어서 낮잠을 잤어."

"아앗!"

벌떡 몸을 일으키고 믿을 수 없다며 로벨이 경악했다.

요즘은 어른스러워져서 어리광을 부리는 일이 거의 없었다. 그런 때에 응석을 부렸다니…….

"어째서 나는 잠이나 자고 있었던 거야—!"

「아아아아아!」 하고 소리치며 충격으로 기운을 잃은 로벨을 보면서 오리진은 크게 웃었다.

"엘렌이 돌아오면, 오늘은 셋이서 같이 자자."

그런 제안을 하고서, 로벨과 오리진은 미소 지었다.

에필로그

오리진의 임신을 안 후부터 엘렌은 때때로 로벨 없이 반과 함께 반크라이프트를 오갔다.

정령성도 반크라이프트도, 축하 분위기가 굉장했다. 특히 로벨과 오리진의 임신 소식에 이자벨라가 외친 것이 인상적이었다.

"정말 장하다~!"

이자벨라는 엘렌 때도 라필리아 때도, 갓난아기 시절에 안아본 적이 없었다. 그 꿈이 이루어지게 되었다며 크게 기뻐했다.

지금의 반크라이프트는 분위기가 매우 부드러웠다. 무엇보다 라필리아가 웃는 얼굴로 있는 것이 엘렌을 기쁘게 했다.

"밝아졌어."

멀리서 지켜보던 엘렌의 등 뒤에서 라필리아를 보고 있는 아우스톨의 모습에 엘렌은 쓴웃음을 지었다.

"그렇게 라필리아가 신경 쓰인다면, 만나러 가면 되잖아요."

"공주님은 가끔 짓궂은 소리를 한다니까."

"그렇지 않아요. ……라필리아가 저렇게 밝아진 건, 아우스톨 덕분이 아닐까 싶거든요."

"내 덕이라고?"

"네. 그때, 라필리아를 격려해줬잖아요. 그때부터 라필리아는, 뭔가 개운한 얼굴을 하게 되었어요."

"……그랬어?"

멀리서 보는 라필리아는 리리아나의 몸 상태를 신경 쓰고 있었다. 최근에는 아기용 물건을 이자벨라의 지도 아래서 리리아나와 함께 만들고 있는 모양이었다.

그 얼굴은 매우 충실하고 반짝반짝 빛나고 있었다.

엘렌이 미소 지으며 바라보고 있는 곳을 보고 아우스톨은 쓴웃음을 지었다.

"공주님은 뭐랄까, 관록이 나오네."

"네?"

"여신 각성 축하해."

"네? 아아, 고맙습니다."

"그나저나, 그 돌. 도련님한테 줘도 괜찮은 거야?"

"네. 좋은 일은 주변과 나누어야 하는 법이니까요."

"호오~ 인간이란 건 잘 이해되지 않는 일을 한다니까."

"후후후."

그 돌은 가디엘에게 팔아도 괜찮았겠지만, 그런 마음은 들지 않았다.

기억을 볼 수 있게 된 엘렌에게 돌의 목소리가 들린 것은 아니었지만, 느낌이 든 것은 사실이었다.

"팔아도 괜찮았겠지만, 왕도의 국고금으로도 그 돌을 사기는 아마도 어려웠을 테지요."

"국고금이라는 게 뭐지?"

"나라가 보유하고 있는 돈을 말해요. 그 크기와 희귀함을 생각하면, 바가지를 씌우려고 했다면 할 수도 있었겠죠. 하지만 그 여파가 백성들에게 가지 않을 거라고는 확신할 수 없으니까요."

왕자라고는 하나, 자유롭게 쓸 수 있는 돈은 거의 없는 것이나 마찬가지다. 게다가 그 폐하를 생각하면, 주머니는 좀처럼 열리지 않을 듯했다.

그렇기에 가디엘은 갖고 싶다고도 말하지 못했던 것이리라.

텐바르크국에서는 고작 십수 년 전에 몬스터 템페스트가 일어났고, 그 탓에 나라가 피폐해졌었다. 겨우 그것이 회복되어가는 중이니, 쓸데없는 것을 살 여유는 없을 터였다.

"…………."

"왜 그러시나요?"

"공주님은 정화시키고 싶은 건가?"

아우스톨이 무슨 말을 하고 싶은 것인지 눈치챈 엘렌은 그저 쓴웃음을 지었다.

"할 수 있다면 해주고 싶다……라고 말하고 싶지만, 왕가의 저주는 제가 손을 댈 일이 아닙니다. 그 돌은 어쩐지, 돌이 그러기를 바라는 것처럼 보였기 때문에 건넨 거예요."

"호오?"

"그 일에 관해서는 어머니와도 이야기를 나누었어요. 제 마음도 전했습니다. 하지만, 저는 자신의 위치라는 것도 이해하려고 해요."

"공주님……."

"그 섬에서 슬픔에 사로잡힌 정령의 마음을 접하고, 분명 같다고 생각했습니다. ……하지만 저는 어느 쪽인가 하면, 계산해서 어느 한쪽을 선택하는 그런 타입이에요."

"계산?"

"섬은, 그대로였다면 또 뒤틀린 마소가 원인이 되어 다시 몬스터 템페스트가 일어났을지도 몰라요. 애초에 그 문제를 해소하기 위해 그곳에 있었던 겁니다. 정화할 필요가 있었기 때문에 나는 정화했다. 감정에 흔들렸다고 해도, 저는 그런 선택을 했다고 여기고 있습니다."

"……그런가. 뭐, 그 말을 듣고 안심했다고 해야 하나."

"네."

"공주님은 거기에 여신 역할이 따라붙는 건가…… 힘들겠어."

"의지하고 있습니다."

"그렇군. 이거 우리도 큰일인걸."

그렇게 말하고 아우스톨은 웃으면서 자리를 떠났다.

엘렌은 잠시 그곳에 머물렀다. 반크라이프트가의 저택이 전부 내려다보이는 언덕 위에서, 엘렌은 멍하니 경치를 바라보았다.

해 질 녘에 접어들었을 즈음, 짐승 모습을 한 반이 엘렌에게 말을 걸었다.

"공주님, 쌀쌀해졌습니다. 돌아가시죠."

저물어가는 빛을 받아 반의 하얀 털이 물들었다. 멍하니 있는 사이에 시간은 빠르게 지나가 버린 모양이었다.

"그러네요."

해가 가라앉아가는 풍경을 바라보며 엘렌은 이 하늘과 같은 색을 이름으로 가진 탄자나이트를 떠올렸다.

그리고 정령의 바람이 담긴 돌을, 그 추억과 함께 이어주었으면 좋겠다고 바랐다.

황혼으로 물들어가는 세계에서 돌아서며 작별을 고하고, 엘렌은 정령성으로 돌아갔다.

■작가 후기

6권을 읽어주셔서, 정말 고맙습니다. 이번에는 쓰면서 무척 즐거웠습니다!

정령 쪽 이야기는 시야가 180도 달라지는 이미지로 쓰고 있습니다. 저도 새로운 기분으로 쓸 수 있었기에 매우 신선한 기분이었습니다.

인터넷 쪽에서는 다룰 수 없다고 여기고 있었던지라, 쓸 기회가 생겨서 아주 기뻤습니다. 정말로 고맙습니다.

지난번에 이어, 읽어주신 분들. 인터넷에서 응원해주신 분들.

언제나 신세를 지고 있는 담당 K님, M님, 교정자님, 디자이너님, 영업 I님.

바쁜 와중에 귀여운 일러스트를 그려주신 keepout님.

코미컬라이즈 만화, 오호리 유타카 님, 스퀘어 에닉스 담당 W님.

응원과 격려를 해주는 친구들, 형제들, 친척들. 언제나 고맙습니다!

또 다음 권에서 만날 수 있기를, 마음을 다해 기도하고 있습니다. 감사합니다!

아빠는 영웅, 엄마는 정령, 딸인 나는 전생자. 6

초판 1쇄 발행 2022년 9월 10일

지은이_ Matsuura
일러스트_ keepout
옮긴이_ 이신

발행인_ 신현호
편집장_ 김승신
편집진행_ 권세라 · 최혁수 · 김경민 · 최정민
편집디자인_ 양우연
관리 · 영업_ 김민원

펴낸곳_ (주)디앤씨미디어
등록_ 2002년 4월 25일 제20-260호

주소_ 서울시 구로구 디지털로 26길 111 JnK디지털타워 503호
전화_ 02-333-2513(대표)
팩시밀리_ 02-333-2514
이메일_ lnovellove@naver.com
L노벨 공식 카페_ http://cafe.naver.com/lnovel11

ISBN 979-11-278-6546-7 04830
ISBN 979-11-278-5213-9 (세트)

값 9,500원